DICCIONARIO DE
201
VERBOS FRANCESES

conjugados
en todos sus tiempos
y personas

Christopher Kendris, Ph.D.
State University of New York at Albany

BARRON'S EDUCATIONAL SERIES, INC.
Woodbury, New York

a mi esposa Yolanda
y a mis dos hijos, Alex y Ted

CONTENIDO

Introducción   vii

Paradigma de un verbo español conjugado en todos sus tiempos y personas   viii

Tiempos y Modos en francés con los equivalentes españoles   ix

Tabla ilustrando la derivación de los tiempos de un verbo que se conjuga con AVOIR   x

Tabla ilustrando la derivación de los tiempos de un verbo que se conjuga con ÊTRE   xi

Verbos franceses conjugados en todos sus tiempos y personas en orden alfabético   1

Indice de verbos españoles que se encuentran en este libro con los equivalentes franceses   202

Indice de formas identificadas por el infinitivo   207

INTRODUCCIÓN

ESTE DICCIONARIO CONTIENE 201 verbos franceses conjugados en todos sus tiempos y personas. Es un libro indispensable para todos los que estudian francés: los estudiantes en las universidades y en las escuelas de segunda enseñanza, los comerciantes, los viajantes, los turistas. Por lo general, los verbos que se hallan en las gramáticas no están conjugados en todos sus modos, tiempos y personas. Por consiguiente es necesario buscar en numerosos libros para encontrar todas las formas de un verbo en particular. Este diccionario cumple una gran necesidad y facilitará el trabajo del estudiante.

En una página se dan todas las formas de un verbo en particular. Para poner de relieve las formas, hemos omitido los sujetos (véase la página xiii). En cuanto a los verbos reflexivos no hemos omitido los pronombres reflexivos porque son necesarios en la conjugación (véase, por ejemplo, **se coucher**).

En la página siguiente se da un paradigma de un verbo español conjugado en todos sus tiempos y personas. También, hay una lista de tiempos y modos en francés con los equivalentes españoles. Ofrecemos el paradigma en español y la lista de tiempos y modos para hacer una comparación entre las dos lenguas. En estas páginas preliminares hay, además, dos tablas ilustrando la derivación de los tiempos de un verbo que se conjuga con AVOIR y otro verbo que se conjuga con ÊTRE. Con el uso de estas tablas el estudiante puede formar los tiempos de los verbos regulares que no se encuentran en este libro. Finalmente, en las últimas páginas de este libro hay dos índices: el primero es una lista de verbos españoles que se encuentran en este diccionario con los equivalentes franceses; el segundo es una lista de formas identificadas por el infinitivo. Ofrecemos estos dos índices para facilitar ampliamente el trabajo del estudiante.

ALBANY, NEW YORK   **Christopher Kendris**

Paradigma de un verbo español conjugado en todos sus tiempos y personas

Presente *Indicativo*	digo, dices, dice; decimos, decís, dicen
Pret. Imp. *Indicativo*	decía, decías, decía; decíamos, decíais, decían
Pret. Indef. *Indicativo*	dije, dijiste, dijo; dijimos, dijisteis, dijeron
Fut. Imp. *Indicativo*	diré, dirás, dirá; diremos, diréis, dirán
Potencial *Simple*	diría, dirías, diría; diríamos, diríais, dirían
Presente *Subjuntivo*	diga, digas, diga; digamos, digáis, digan
Pret. Imp. *Subjuntivo*	dijera, dijeras, dijera; dijéramos, dijerais, dijeran
	dijese, dijeses, dijese; dijésemos, dijeseis, dijesen
Pret. Perf. *Indicativo*	he dicho, has dicho, ha dicho; hemos dicho, habéis dicho, han dicho
Pret. Plus. *Indicativo*	había dicho, habías dicho, había dicho; habíamos dicho, habíais dicho, habían dicho
Pretérito *Anterior*	hube dicho, hubiste dicho, hubo dicho; hubimos dicho, hubisteis dicho, hubieron dicho
Fut. Perf. *Indicativo*	habré dicho, habrás dicho, habrá dicho; habremos dicho, habréis dicho, habrán dicho
Potencial *Perfecto*	habría dicho, habrías dicho, habría dicho; habríamos dicho, habríais dicho, habrían dicho
Pret. Perf. *Subjuntivo*	haya dicho, hayas dicho, haya dicho; hayamos dicho, hayáis dicho, hayan dicho
Pret. Plus. *Subjuntivo*	hubiera dicho, hubieras dicho, hubiera dicho; hubiéramos dicho, hubierais dicho, hubieran dicho
	hubiese dicho, hubieses dicho, hubiese dicho; hubiésemos dicho, hubieseis dicho, hubiesen dicho
Imperativo	— di, diga; digamos, decid, digan

Tiempos y Modos en francés con los equivalentes españoles

francés	español
Les Temps Simples	**Los Tiempos Simples**
Présent de l'indicatif	Presente del indicativo
Imparfait de l'indicatif	Pretérito imperfecto del indicativo
Passé simple (passé défini)	Pretérito indefinido del indicativo
Futur	Futuro imperfecto del indicativo
Conditionnel présent	Potencial simple
Présent du subjonctif	Presente del subjuntivo
Imparfait du subjonctif	Pretérito imperfecto del subjuntivo
Les Temps Composés	**Los Tiempos Compuestos**
Passé composé (passé indéfini)	Pretérito perfecto del indicativo
Plus-que-parfait de l'indicatif	Pretérito pluscuamperfecto del indicativo
Passé antérieur	Pretérito anterior
Futur antérieur	Futuro perfecto del indicativo
Conditionnel passé	Potencial perfecto
Passé du subjonctif	Pretérito perfecto del subjuntivo
Plus-que-parfait du subjonctif	Pretérito pluscuamperfecto del subjuntivo
Impératif	Imperativo

Tabla ilustrando la derivación de los tiempos de un verbo francés que se conjuga con AVOIR

INFINITIF	PARTICIPE PRÉSENT	PARTICIPE PASSÉ	PRÉSENT DE L'INDICATIF	PASSÉ SIMPLE
donner	**donnant**	**donné**	**je donne**	**je donnai**
FUTUR	IMPARFAIT DE L'INDICATIF	PASSÉ COMPOSÉ	PRÉSENT DE L'INDICATIF	PASSÉ SIMPLE
donner**ai**	donn**ais**	**ai** donné	donn**e**	donn**ai**
donner**as**	donn**ais**	**as** donné	donn**es**	donn**as**
donner**a**	donn**ait**	**a** donné	donn**e**	donn**a**
donner**ons**		**avons** donné		donn**âmes**
donner**ez**	donn**ions**	**avez** donné	donn**ons**	donn**âtes**
donner**ont**	donn**iez**	**ont** donné	donn**ez**	donn**èrent**
	donn**aient**		donn**ent**	
		PLUS-QUE-PARFAIT DE L'INDICATIF		IMPARFAIT DU SUBJONCTIF
CONDITIONNEL		**avais** donné	IMPÉRATIF	donn**asse**
donner**ais**		**avais** donné	donn**e**	donn**asses**
donner**ais**		**avait** donné	donn**ons**	donn**ât**
donner**ait**			donn**ez**	
donner**ions**		**avions** donné		donn**assions**
donner**iez**		**aviez** donné	PRÉSENT DU SUBJONCTIF	donn**assiez**
donner**aient**		**avaient** donné	donn**e**	donn**assent**
			donn**es**	
		PASSÉ ANTÉRIEUR	donn**e**	
		eus donné		
		eus donné	donn**ions**	
		eut donné	donn**iez**	
			donn**ent**	
		eûmes donné		
		eûtes donné		
		eurent donné		

FUTUR ANTÉRIEUR	CONDITIONNEL PASSÉ	PASSÉ DU SUBJONCTIF	PLUS-QUE-PARFAIT DU SUBJONCTIF
aurai donné	**aurais** donné	**aie** donné	
auras donné	**aurais** donné	**aies** donné	**eusse** donné
aura donné	**aurait** donné	**ait** donné	**eusses** donné
			eût donné
aurons donné	**aurions** donné	**ayons** donné	
aurez donné	**auriez** donné	**ayez** donné	**eussions** donné
auront donné	**auraient** donné	**aient** donné	**eussiez** donné
			eussent donné

Tabla ilustrando la derivación de los tiempos de un verbo francés que se conjuga con ÊTRE

INFINITIF	PARTICIPE PRÉSENT	PARTICIPE PASSÉ	PRÉSENT DE L'INDICATIF	PASSÉ SIMPLE
arriver	arrivant	arrivé	j'arrive	j'arrivai

FUTUR	IMPARFAIT DE L'INDICATIF	PASSÉ COMPOSÉ	PRÉSENT DE L'INDICATIF	PASSÉ SIMPLE
arriverai		suis arrivé(e)		arrivai
arriveras	arrivais	es arrivé(e)	arrive	arrivas
arrivera	arrivais	est arrivé(e)	arrives	arriva
	arrivait		arrive	
arriverons		sommes arrivé(e)s		arrivâmes
arriverez	arrivions	êtes arrivé(e)(s)	arrivons	arrivâtes
arriveront	arriviez	sont arrivé(e)s	arrivez	arrivèrent
	arrivaient		arrivent	

CONDITIONNEL		PLUS-QUE-PARFAIT DE L'INDICATIF	IMPÉRATIF	IMPARFAIT DU SUBJONCTIF
arriverais		étais arrivé(e)	arrive	arrivasse
arriverais		étais arrivé(e)	arrivons	arrivasses
arriverait		était arrivé(e)	arrivez	arrivât
arriverions		étions arrivé(e)s	PRÉSENT DU SUBJONCTIF	arrivassions
arriveriez		étiez arrivé(e)(s)		arrivassiez
arriveraient		étaient arrivé(e)s	arrive	arrivassent
			arrives	
		PASSÉ ANTÉRIEUR	arrive	
		fus arrivé(e)		
		fus arrivé(e)	arrivions	
		fut arrivé(e)	arriviez	
			arrivent	
		fûmes arrivé(e)s		
		fûtes arrivé(e)(s)		
		furent arrivé(e)s		

FUTUR ANTÉRIEUR	CONDITIONNEL PASSÉ	PASSÉ DU SUBJONCTIF	PLUS-QUE-PARFAIT DU SUBJONCTIF
serai arrivé(e)	serais arrivé(e)	sois arrivé(e)	
seras arrivé(e)	serais arrivé(e)	sois arrivé(e)	fusse arrivé(e)
sera arrivé(e)	serait arrivé(e)	soit arrivé(e)	fusses arrivé(e)
			fût arrivé(e)
serons arrivé(e)s	serions arrivé(e)s	soyons arrivé(e)s	
serez arrivé(e)(s)	seriez arrivé(e)(s)	soyez arrivé(e)(s)	fussions arrivé(e)s
seront arrivé(e)s	seraient arrivé(e)s	soient arrivé(e)s	fussiez arrivé(e)(s)
			fussent arrivé(e)s

Verbos Franceses Conjugados
en Todos sus Tiempos y Personas
EN ORDEN ALFABÉTICO

Para poner de relieve las formas, los sujetos no se emplean en las páginas siguientes. Las tres formas delante del punto y coma pertenecen a la primera, segunda y tercera personas del singular. Las tres formas debajo son del plural. Los sujetos omitidos son:

EN EL SINGULAR: je, tu, il (elle, on);
EN EL PLURAL: nous, vous, ils (elles)

En cuanto a los verbos reflexivos, se emplean los pronombres reflexivos porque son necesarios en la conjugación (véase, por ejemplo, se coucher).

Presente *Indicativo*	abandonne, abandonnes, abandonne; abandonnons, abandonnez, abandonnent	*abandonar,*
Pret. Imp. *Indicativo*	abandonnais, abandonnais, abandonnait; abandonnious, abandonniez, abandonnaient	*dejar*

Pret. Indef. abandonnai, abandonnas, abandonna;
Indicativo abandonnâmes, abandonnâtes, abandonnèrent

Fut. Imp. abandonnerai, abandonneras, abandonnera;
Indicativo abandonnerons, abandonnerez, abandonneront

Potencial abandonnerais, abandonnerais, abandonnerait;
Simple abandonnerions, abandonneriez, abandonneraient

Presente abandonne, abandonnes, abandonne;
Subjuntivo abandonnions, abandonniez, abandonnent

Pret. Imp. abandonnasse, abandonnasses, abandonnât;
Subjuntivo abandonnassions, abandonnassiez, abandonnassent

Pret. Perf. ai abandonné, as abandonné, a abandonné;
Indicativo avons abandonné, avez abandonné, ont abandonné

Pret. Plus. avais abandonné, avais abandonné, avait abandonné;
Indicativo avions abandonné, aviez abandonné, avaient abandonné

Pretérito eus abandonné, eus abandonné, eut abandonné;
Anterior eûmes abandonné, eûtes abandonné, eurent abandonné

Fut. Perf. aurai abandonné, auras abandonné, aura abandonné;
Indicativo aurons abandonné, aurez abandonné, auront abandonné

Potencial aurais abandonné, aurais abandonné, aurait abandonné;
Perfecto aurions abandonné, auriez abandonné, auraient abandonné

Pret. Perf. aie abandonné, aies abandonné, ait abandonné;
Subjuntivo ayons abandonné, ayez abandonné, aient abandonné

Pret. Plus. eusse abandonné, eusses abandonné, eût abandonné;
Subjuntivo eussions abandonné, eussiez abandonné, eussent abandonné

Imperativo abandonne, abandonnons, abandonnez

Presente *Indicativo*	abats, abats, abat; abattons, abattez, abattent	
Pret. Imp. *Indicativo*	abattais, abattais, abattait; abattions, abattiez, abattaient	*abatir, derribar,* *cortar (árboles),*
Pret. Indef. *Indicativo*	abattis, abattis, abattit; abattîmes, abattîtes, abattirent	*dar en tierra con,* *humillar*
Fut. Imp. *Indicativo*	abattrai, abattras, abattra; abattrons, abattrez, abattront	
Potencial *Simple*	abattrais, abattrais, abattrait; abattrions, abattriez, abattraient	
Presente *Subjuntivo*	abatte, abattes, abatte; abattions, abattiez, abattent	
Pret. Imp. *Subjuntivo*	abattisse, abattisses, abattît; abattissions, abattissiez, abattissent	
Pret. Perf. *Indicativo*	ai abattu, as abattu, a abattu; avons abattu, avez abattu, ont abattu	
Pret. Plus. *Indicativo*	avais abattu, avais abattu, avait abattu; avions abattu, aviez abattu, avaient abattu	
Pretérito *Anterior*	eus abattu, eus abattu, eut abattu; eûmes abattu, eûtes abattu, eurent abattu	
Fut. Perf. *Indicativo*	aurai abattu, auras abattu, aura abattu; aurons abattu, aurez abattu, auront abattu	
Potencial *Perfecto*	aurais abattu, aurais abattu, aurait abattu; aurions abattu, auriez abattu, auraient abattu	
Pret. Perf. *Subjuntivo*	aie abattu, aies abattu, ait abattu; ayons abattu, ayez abattu, aient abattu	
Pret. Plus. *Subjuntivo*	eusse abattu, eusses abattu, eût abattu; eussions abattu, eussiez abattu, eussent abattu	
Imperativo	abats, abattons, abattez	

Presente   m'abstiens, t'abstiens, s'abstient;
Indicativo   nous abstenons, vous abstenez, s'abstiennent   *abstenerse*

Pret. Imp.   m'abstenais, t'abstenais, s'abstenait;
Indicativo   nous abstenions, vous absteniez, s'abstenaient

Pret. Indef. m'abstins, t'abstins, s'abstint;
Indicativo   nous abstînmes, vous abstîntes, s'abstinrent

Fut. Imp.   m'abstiendrai, t'abstiendras, s'abstiendra;
Indicativo   nous abstiendrons, vous abstiendrez, s'abstiendront

Potencial   m'abstiendrais, t'abstiendrais, s'abstiendrait;
Simple   nous abstiendrions, vous abstiendriez, s'abstiendraient

Presente   m'abstienne, t'abstiennes, s'abstienne;
Subjuntivo   nous abstenions, vous absteniez, s'abstiennent

Pret. Imp.   m'abstinsse, t'abstinsses, s'abstînt;
Subjuntivo   nous abstinssions, vous abstinssiez, s'abstinssent

Pret. Perf. me suis abstenu(e), t'es abstenu(e), s'est abstenu(e);
Indicativo   nous sommes abstenu(e)s, vous êtes abstenu(e)(s), se sont abstenu(e)s

Pret. Plus. m'étais abstenu(e), t'étais abstenu(e), s'était abstenu(e);
Indicativo   nous étions abstenu(e)s, vous étiez abstenu(e)(s), s'étaient abstenu(e)s

Pretérito   me fus abstenu(e), te fus abstenu(e), se fut abstenu(e);
Anterior   nous fûmes abstenu(e)s, vous fûtes abstenu(e)(s), se furent abstenu(e)s

Fut. Perf.   me serai abstenu(e), te seras abstenu(e), se sera abstenu(e);
Indicativo   nous serons abstenu(e)s, vous serez abstenu(e)(s), se seront abstenu(e)s

Potencial   me serais abstenu(e), te serais abstenu(e), se serait abstenu(e);
Perfecto   nous serions abstenu(e)s, vous seriez abstenu(e)(s), se seraient abstenu(e)s

Pret. Perf. me sois abstenu(e), te sois abstenu(e), se soit abstenu(e);
Subjuntivo   nous soyons abstenu(e)s, vous soyez abstenu(e)(s), se soient abstenu(e)s

Pret. Plus. me fusse abstenu(e), te fusses abstenu(e), se fût abstenu(e);
Subjuntivo   nous fussions abstenu(e)s, vous fussiez abstenu(e)(s), se fussent abstenu(e)s

Imperativo   abstiens-toi, abstenons-nous, abstenez-vous

3

Presente *Indicativo*	accepte, acceptes, accepte; acceptons, acceptez, acceptent
Pret. Imp. *Indicativo*	acceptais, acceptais, acceptait; acceptions, acceptiez, acceptaient
Pret. Indef. *Indicativo*	acceptai, acceptas, accepta; acceptâmes, acceptâtes, acceptèrent
Fut. Imp. *Indicativo*	accepterai, accepteras, acceptera; accepterons, accepterez, accepteront
Potencial *Simple*	accepterais, accepterais, accepterait; accepterions, accepteriez, accepteraient
Presente *Subjuntivo*	accepte, acceptes, accepte; acceptions, acceptiez, acceptent
Pret. Imp. *Subjuntivo*	acceptasse, acceptasses, acceptât; acceptassions, acceptassiez, acceptassent
Pret. Perf. *Indicativo*	ai accepté, as accepté, a accepté; avons accepté, avez accepté, ont accepté
Pret. Plus. *Indicativo*	avais accepté, avais accepté, avait accepté; avions accepté, aviez accepté, avaient accepté
Pretérito *Anterior*	eus accepté, eus accepté, eut accepté; eûmes accepté, eûtes accepté, eurent accepté
Fut. Perf. *Indicativo*	aurai accepté, auras accepté, aura accepté; aurons accepté, aurez accepté, auront accepté
Potencial *Perfecto*	aurais accepté, aurais accepté, aurait accepté; aurions accepté, auriez accepté, auraient accepté
Pret. Perf. *Subjuntivo*	aie accepté, aies accepté, ait accepté; ayons accepté, ayez accepté, aient accepté
Pret. Plus. *Subjuntivo*	eusse accepté, eusses accepté, eût accepté; eussions accepté, eussiez accepté, eussent accepté
Imperativo	accepte, acceptons, acceptez

aceptar

Presente *Indicativo*	accompagne, accompagnes, accompagne; accompagnons, accompagnez, accompagnent

acompañar

Pret. Imp. *Indicativo*	accompagnais, accompagnais, accompagnait; accompagnions, accompagniez, accompagnaient
Pret. Indef. *Indicativo*	accompagnai, accompagnas, accompagna; accompagnâmes, accompagnâtes, accompagnèrent
Fut. Imp. *Indicativo*	accompagnerai, accompagneras, accompagnera; accompagnerons, accompagnerez, accompagneront
Potencial *Simple*	accompagnerais, accompagnerais, accompagnerait; accompagnerions, accompagneriez, accompagneraient
Presente *Subjuntivo*	accompagne, accompagnes, accompagne; accompagnions, accompagniez, accompagnent
Pret. Imp. *Subjuntivo*	accompagnasse, accompagnasses, accompagnât; accompagnassions, accompagnassiez, accompagnassent
Pret. Perf. *Indicativo*	ai accompagné, as accompagné, a accompagné; avons accompagné, avez accompagné, ont accompagné
Pret. Plus. *Indicativo*	avais accompagné, avais accompagné, avait accompagné; avions accompagné, aviez accompagné, avaient accompagné
Pretérito *Anterior*	eus accompagné, eus accompagné, eut accompagné; eûmes accompagné, eûtes accompagné, eurent accompagné
Fut. Perf. *Indicativo*	aurai accompagné, auras accompagné, aura accompagné; aurons accompagné, aurez accompagné, auront accompagné
Potencial *Perfecto*	aurais accompagné, aurais accompagné, aurait accompagné; aurions accompagné, auriez accompagné, auraient accompagné
Pret. Perf. *Subjuntivo*	aie accompagné, aies accompagné, ait accompagné; ayons accompagné, ayez accompagné, aient accompagné
Pret. Plus. *Subjuntivo*	eusse accompagné, eusses accompagné, eût accompagné; eussions accompagné, eussiez accompagné, eussent accompagné
Imperativo	accompagne, accompagnons, accompagnez

Presente *Indicativo*	accueille, accueilles, accueille; accueillons, accueillez, accueillent
Pret. Imp. *Indicativo*	accueillais, accueillais, accueillait; accueillions, accueilliez, accueillaient
Pret. Indef. *Indicativo*	accueillis, accueillis, accueillit; accueillîmes, accueillîtes, accueillirent
Fut. Imp. *Indicativo*	accueillerai, accueilleras, accueillera; accueillerons, accueillerez, accueilleront
Potencial *Simple*	accueillerais, accueillerais, accueillerait; accueillerions, accueilleriez, accueilleraient
Presente *Subjuntivo*	accueille, accueilles, accueille; accueillions, accueilliez, accueillent
Pret. Imp. *Subjuntivo*	accueillisse, accueillisses, accueillît; accueillissions, accueillissiez, accueillissent
Pret. Perf. *Indicativo*	ai accueilli, as accueilli, a accueilli; avons accueilli, avez accueilli, ont accueilli
Pret. Plus. *Indicativo*	avais accueilli, avais accueilli, avait accueilli; avions accueilli, aviez accueilli, avaient accueilli
Pretérito *Anterior*	eus accueilli, eus accueilli, eut accueilli; eûmes accueilli, eûtes accueilli, eurent accueilli
Fut. Perf. *Indicativo*	aurai accueilli, auras accueilli, aura accueilli; aurons accueilli, aurez accueilli, auront accueilli
Potencial *Perfecto*	aurais accueilli, aurais accueilli, aurait accueilli; aurions accueilli, auriez accueilli, auraient accueilli
Pret. Perf. *Subjuntivo*	aie accueilli, aies accueilli, ait accueilli; ayons accueilli, ayez accueilli, aient accueilli
Pret. Plus. *Subjuntivo*	eusse accueilli, eusses accueilli, eût accueilli; eussions accueilli, eussiez accueilli, eussent accueilli
Imperativo	accueille, accueillons, accueillez

dar la bienvenida a,
acoger,
recibir

Presente	achète, achètes, achète;	
Indicativo	achetons, achetez, achètent	*comprar*
Pret. Imp.	achetais, achetais, achetait;	
Indicativo	achetions, achetiez, achetaient	
Pret. Indef.	achetai, achetas, acheta;	
Indicativo	achetâmes, achetâtes, achetèrent	
Fut. Imp.	achèterai, achèteras, achètera;	
Indicativo	achèterons, achèterez, achèteront	
Potencial	achèterais, achèterais, achèterait;	
Simple	achèterions, achèteriez, achèteraient	
Presente	achète, achètes, achète;	
Subjuntivo	achetions, achetiez, achètent	
Pret. Imp.	achetasse, achetasses, achetât;	
Subjuntivo	achetassions, achetassiez, achetassent	
Pret. Perf.	ai acheté, as acheté, a acheté;	
Indicativo	avons acheté, avez acheté, ont acheté	
Pret. Plus.	avais acheté, avais acheté, avait acheté;	
Indicativo	avions acheté, aviez acheté, avaient acheté	
Pretérito	eus acheté, eus acheté, eut acheté;	
Anterior	eûmes acheté, eûtes acheté, eurent acheté	
Fut. Perf.	aurai acheté, auras acheté, aura acheté;	
Indicativo	aurons acheté, aurez acheté, auront acheté	
Potencial	aurais acheté, aurais acheté, aurait acheté;	
Perfecto	aurions acheté, auriez acheté, auraient acheté	
Pret. Perf.	aie acheté, aies acheté, ait acheté;	
Subjuntivo	ayons acheté, ayez acheté, aient acheté	
Pret. Plus.	eusse acheté, eusses acheté, eût acheté;	
Subjuntivo	eussions acheté, eussiez acheté, eussent acheté	
Imperativo	achète, achetons, achetez	

Presente *Indicativo*	acquiers, acquiers, acquiert; acquérons, acquérez, acquièrent
Pret. Imp. *Indicativo*	acquérais, acquérais, acquérait; acquérions, acquériez, acquéraient
Pret. Indef. *Indicativo*	acquis, acquis, acquit; acquîmes, acquîtes, acquirent
Fut. Imp. *Indicativo*	acquerrai, acquerras, acquerra; acquerrons, acquerrez, acquerront
Potencial *Simple*	acquerrais, acquerrais, acquerrait; acquerrions, acquerriez, acquerraient
Presente *Subjuntivo*	acquière, acquières, acquière; acquérions, acquériez, acquièrent
Pret. Imp. *Subjuntivo*	acquisse, acquisses, acquît; acquissions, acquissiez, acquissent
Pret. Perf. *Indicativo*	ai acquis, as acquis, a acquis; avons acquis, avez acquis, ont acquis
Pret. Plus. *Indicativo*	avais acquis, avais acquis, avait acquis; avions acquis, aviez acquis, avaient acquis
Pretérito *Anterior*	eus acquis, eus acquis, eut acquis; eûmes acquis, eûtes acquis, eurent acquis
Fut. Perf. *Indicativo*	aurai acquis, auras acquis, aura acquis; aurons acquis, aurez acquis, auront acquis
Potencial *Perfecto*	aurais acquis, aurais acquis, aurait acquis; aurions acquis, auriez acquis, auraient acquis
Pret. Perf. *Subjuntivo*	aie acquis, aies acquis, ait acquis; ayons acquis, ayez acquis, aient acquis
Pret. Plus. *Subjuntivo*	eusse acquis, eusses acquis, eût acquis; eussions acquis, eussiez acquis, eussent acquis
Imperativo	acquiers, acquérons, acquérez

adquirir

Presente *Indicativo*	admets, admets, admet; admettons, admettez, admettent	*admitir*

Pret. Imp. *Indicativo*	admettais, admettais, admettait; admettions, admettiez, admettaient

Pret. Indef. *Indicativo*	admis, admis, admit; admîmes, admîtes, admirent

Fut. Imp. *Indicativo*	admettrai, admettras, admettra; admettrons, admettrez, admettront

Potencial *Simple*	admettrais, admettrais, admettrait; admettrions, admettriez, admettraient

Presente *Subjuntivo*	admette, admettes, admette; admettions, admettiez, admettent

Pret. Imp. *Subjuntivo*	admisse, admisses, admît; admissions, admissiez, admissent

Pret. Perf. *Indicativo*	ai admis, as admis, a admis; avons admis, avez admis, ont admis

Pret. Plus. *Indicativo*	avais admis, avais admis, avait admis; avions admis, aviez admis, avaient admis

Pretérito *Anterior*	eus admis, eus admis, eut admis; eûmes admis, eûtes admis, eurent admis

Fut. Perf *Indicativo*	aurai admis, auras admis, aura admis; aurons admis, aurez admis, auront admis

Potencial *Perfecto*	aurais admis, aurais admis, aurait admis; aurions admis, auriez admis, auraient admis

Pret. Perf. *Subjuntivo*	aie admis, aies admis, ait admis; ayons admis, ayez admis, aient admis

Pret. Plus. *Subjuntivo*	eusse admis, eusses admis, eût admis; eussions admis, eussiez admis, eussent admis

Imperativo	admets, admettons, admettez

aider

Presente *Indicativo*	aide, aides, aide; aidons, aidez, aident
Pret. Imp. *Indicativo*	aidais, aidais, aidait; aidions, aidiez, aidaient
Pret. Indef. *Indicativo*	aidai, aidas, aida; aidâmes, aidâtes, aidèrent
Fut. Imp. *Indicativo*	aiderai, aideras, aidera; aiderons, aiderez, aideront
Potencial *Simple*	aiderais, aiderais, aiderait; aiderions, aideriez, aideraient
Presente *Subjuntivo*	aide, aides, aide; aidions, aidiez, aident
Pret. Imp. *Subjuntivo*	aidasse, aidasses, aidât; aidassions, aidassiez, aidassent
Pret. Perf. *Indicativo*	ai aidé, as aidé, a aidé; avons aidé, avez aidé, ont aidé
Pret. Plus. *Indicativo*	avais aidé, avais aidé, avait aidé; avions aidé, aviez aidé, avaient aidé
Pretérito *Anterior*	eus aidé, eus aidé, eut aidé; eûmes aidé, eûtes aidé, eurent aidé
Fut. Perf. *Indicativo*	aurai aidé, auras aidé, aura aidé; aurons aidé, aurez aidé, auront aidé
Potencial *Perfecto*	aurais aidé, aurais aidé, aurait aidé; aurions aidé, auriez aidé, auraient aidé
Pret. Perf. *Subjuntivo*	aie aidé, aies aidé, ait aidé; ayons aidé, ayez aidé, aient aidé
Pret. Plus. *Subjuntivo*	eusse aidé, eusses aidé, eût aidé; eussions aidé, eussiez aidé, eussent aidé
Imperativo	aide, aidons, aidez

ayudar,
asistir

Presente *Indicativo*	aime, aimes, aime; aimons, aimez, aiment
Pret. Imp. *Indicativo*	aimais, aimais, aimait; aimions, aimiez, aimaient
Pret. Indef. *Indicativo*	aimai, aimas, aima; aimâmes, aimâtes, aimèrent
Fut. Imp. *Indicativo*	aimerai, aimeras, aimera; aimerons, aimerez, aimeront
Potencial *Simple*	aimerais, aimerais, aimerait; aimerions, aimeriez, aimeraient
Presente *Subjuntivo*	aime, aimes, aime; aimions, aimiez, aiment
Pret. Imp. *Subjuntivo*	aimasse, aimasses, aimât; aimassions, aimassiez, aimassent
Pret. Perf. *Indicativo*	ai aimé, as aimé, a aimé; avons aimé, avez aimé, ont aimé
Pret. Plus. *Indicativo*	avais aimé, avais aimé, avait aimé; avions aimé, aviez aimé, avaient aimé
Pretérito *Anterior*	eus aimé, eus aimé, eut aimé; eûmes aimé, eûtes aimé, eurent aimé
Fut. Perf. *Indicativo*	aurai aimé, auras aimé, aura aimé; aurons aimé, aurez aimé, auront aimé
Potencial *Perfecto*	aurais aimé, aurais aimé, aurait aimé; aurions aimé, auriez aimé, auraient aimé
Pret. Perf. *Subjuntivo*	aie aimé, aies aimé, ait aimé; ayons aimé, ayez aimé, aient aimé
Pret. Plus. *Subjuntivo*	eusse aimé, eusses aimé, eût aimé; eussions aimé, eussiez aimé, eussent aimé
Imperativo	aime, aimons, aimez

*amar,
querer,
tener gusto por*

Presente *Indicativo*	vais, vas, va; allons, allez, vont
Pret. Imp. *Indicativo*	allais, allais, allait; allions, alliez, allaient
Pret. Indef. *Indicativo*	allai, allas, alla; allâmes, allâtes, allèrent
Fut. Imp. *Indicativo*	irai, iras, ira; irons, irez, iront
Potencial *Simple*	irais, irais, irait; irions, iriez, iraient
Presente *Subjuntivo*	aille, ailles, aille; allions, alliez, aillent
Pret. Imp. *Subjuntivo*	allasse, allasses, allât; allasions, allassiez, allassent
Pret. Perf. *Indicativo*	suis allé(e), es allé(e), est allé(e); sommes allé(e)s, êtes allé(e)(s), sont allé(e)s
Pret. Plus. *Indicativo*	étais allé(e), étais allé(e), était allé(e); étions allé(e)s, étiez allé(e)(s), étaient allé(e)s
Pretérito *Anterior*	fus allé(e), fus allé(e), fut allé(e); fûmes allé(e)s, fûtes allé(e)(s), furent allé(e)s
Fut. Perf. *Indicativo*	serai allé(e), seras allé(e), sera allé(e); serons allé(e)s, serez allé(e)(s), seront allé(e)s
Potencial *Perfecto*	serais allé(e), serais allé(e), serait allé(e); serions allé(e)s, seriez allé(e)(s), seraient allé(e)s
Pret. Perf. *Subjuntivo*	sois allé(e), sois allé(e), soit allé(e); soyons allé(e)s, soyez allé(e)(s), soient allé(e)s
Pret. Plus. *Subjuntivo*	fusse allé(e), fusses allé(e), fût allé(e); fussions allé(e)s, fussiez allé(e)(s), fussent allé(e)s
Imperativo	va, allons, allez.

ir

Presente	m'en vais, t'en vas, s'en va;	
Indicativo	nous en allons, vous en allez, s'en vont	*irse,*
Pret. Imp.	m'en allais, t'en allais, s'en allait;	*marcharse,*
Indicativo	nous en allions, vous en alliez, s'en allaient	*quitarse*
Pret. Indef.	m'en allai, t'en allas, s'en alla;	
Indicativo	nous en allâmes, vous en allâtes, s'en allèrent	
Fut. Imp.	m'en irai, t'en iras, s'en ira;	
Indicativo	nous en irons, vous en irez, s'en iront	
Potencial	m'en irais, t'en irais, s'en irait;	
Simple	nous en irions, vous en iriez, s'en iraient	
Presente	m'en aille, t'en ailles, s'en aille;	
Subjuntivo	nous en allions, vous en alliez, s'en aillent	
Pret. Imp.	m'en allasse, t'en allasses, s'en allât;	
Subjuntivo	nous en allassions, vous en allassiez, s'en allassent	
Pret. Perf.	m'en suis allé(e), t'en es allé(e), s'en est allé(e);	
Indicativo	nous en sommes allé(e)s, vous en êtes allé(e)(s), s'en sont allé(e)s	
Pret. Plus.	m'en étais allé(e), t'en étais allé(e), s'en était allé(e);	
Indicativo	nous en étions allé(e)s, vous en étiez allé(e)(s), s'en étaient allé(e)s	
Pretérito	m'en fus allé(e), t'en fus allé(e), s'en fut allé(e);	
Anterior	nous en fûmes allé(e)s, vous en fûtes allé(e)(s), s'en furent allé(e)s	
Fut. Perf.	m'en serai allé(e), t'en seras allé(e), s'en sera allé(e);	
Indicativo	nous en serons allé(e)s, vous en serez allé(e)(s), s'en seront allé(e)s	
Potencial	m'en serais allé(e), t'en serais allé(e), s'en serait allé(e);	
Perfecto	nous en serions allé(e)s, vous en seriez allé(e)(s), s'en seraient allé(e)s	
Pret. Perf.	m'en sois allé(e), t'en sois allé(e), s'en soit allé(e);	
Subjuntivo	nous en soyons allé(e)s, vous en soyez allé(e)(s), s'en soient allé(e)s	
Pret. Plus.	m'en fusse allé(e), t'en fusses allé(e), s'en fût allé(e);	
Subjuntivo	nous en fussions allé(e)s, vous en fussiez allé(e)(s), s'en fussent allé(e)s	
Imperativo	va-t'en, allons-nous-en, allez-vous-en	

Presente	m'amuse, t'amuses, s'amuse;	
Indicativo	nous amusons, vous amusez, s'amusent	*divertirse*

Pret. Imp.   m'amusais, t'amusais, s'amusait;
Indicativo   nous amusions, vous amusiez, s'amusaient

Pret. Indef.   m'amusai, t'amusas, s'amusa;
Indicativo   nous amusâmes, vous amusâtes, s'amusèrent

Fut. Imp.   m'amuserai, t'amuseras, s'amusera;
Indicativo   nous amuserons, vous amuserez, s'amuseront

Potencial   m'amuserais, t'amuserais, s'amuserait;
Simple   nous amuserions, vous amuseriez, s'amuseraient

Presente   m'amuse, t'amuses, s'amuse;
Subjuntivo   nous amusions, vous amusiez, s'amusent

Pret. Imp.   m'amusasse, t'amusasses, s'amusât;
Subjuntivo   nous amusassions, vous amusassiez, s'amusassent

Pret. Perf.   me suis amusé(e), t'es amusé(e), s'est amusé(e);
Indicativo   nous sommes amusé(e)s, vous êtes amusé(e)(s), se sont amusé(e)s

Pret. Plus.   m'étais amusé(e), t'étais amusé(e), s'était amusé(e);
Indicativo   nous étions amusé(e)s, vous étiez amusé(e)(s), s'étaient amusé(e)s

Pretérito   me fus amusé(e), te fus amusé(e), se fut amusé(e);
Anterior   nous fûmes amusé(e)s, vous fûtes amusé(e)(s), se furent amusé(e)s

Fut. Perf.   me serai amusé(e), te seras amusé(e), se sera amusé(e);
Indicativo   nous serons amusé(e)s, vous serez amusé(e)(s), se seront amusé(e)s

Potencial   me serais amusé(e), te serais amusé(e), se serait amusé(e);
Perfecto   nous serions amusé(e)s, vous seriez amusé(e)(s), se seraient amusé(e)s

Pret. Perf.   me sois amusé(e), te sois amusé(e), se soit amusé(e);
Subjuntivo   nous soyons amusé(e)s, vous soyez amusé(e)(s), se soient amusé(e)s

Pret. Plus.   me fusse amusé(e), te fusses amusé(e), se fût amusé(e);
Subjuntivo   nous fussions amusé(e)s, vous fussiez amusé(e)(s), se fussent amusé(e)s

Imperativo   amuse-toi, amusons-nous, amusez-vous

Presente *Indicativo*	aperçois, aperçois, aperçoit; apercevons, apercevez, aperçoivent	*apercibir,* *observar*
Pret. Imp. *Indicativo*	apercevais, apercevais, apercevait; apercevions, aperceviez, apercevaient	
Pret. Indef. *Indicativo*	aperçus, aperçus, aperçut; aperçûmes, aperçûtes, aperçurent	
Fut. Imp. *Indicativo*	apercevrai, apercevras, apercevra; apercevrons, apercevrez, apercevront	
Potencial *Simple*	apercevrais, apercevrais, apercevrait; apercevrions, apercevriez, apercevraient	
Presente *Subjuntivo*	aperçoive, aperçoives, aperçoive; apercevions, aperceviez, aperçoivent	
Pret. Imp. *Subjuntivo*	aperçusse, aperçusses, aperçût; aperçussions, aperçussiez, aperçussent	
Pret. Perf. *Indicativo*	ai aperçu, as aperçu, a aperçu; avons aperçu, avez aperçu, ont aperçu	
Pret. Plus. *Indicativo*	avais aperçu, avais aperçu, avait aperçu; avions aperçu, aviez aperçu, avaient aperçu	
Pretérito *Anterior*	eus aperçu, eus aperçu, eut aperçu; eûmes aperçu, eûtes aperçu, eurent aperçu	
Fut. Perf. *Indicativo*	aurai aperçu, auras aperçu, aura aperçu; aurons aperçu, aurez aperçu, auront aperçu	
Potencial *Perfecto*	aurais aperçu, aurais aperçu, aurait aperçu; aurions aperçu, auriez aperçu, auraient aperçu	
Pret. Perf. *Subjuntivo*	aie aperçu, aies aperçu, ait aperçu; ayons aperçu, ayez aperçu, aient aperçu	
Pret. Plus. *Subjuntivo*	eusse aperçu, eusses aperçu, eût aperçu; eussions aperçu, eussiez aperçu, eussent aperçu	
Imperativo	aperçois, apercevons, apercevez	

Presente Indicativo	apparais, apparais, apparaît; apparaissons, apparaissez, apparaissent	*aparecer,*
Pret. Imp. Indicativo	apparaissais, apparaissais, apparaissait; apparaissions, apparaissiez, apparaissaient	*parecer*

Pret. Indef.
Indicativo apparus, apparus, apparut;
apparûmes, apparûtes, apparurent

Fut. Imp.
Indicativo apparaîtrai, apparaîtras, apparaîtra;
apparaîtrons, apparaîtrez, apparaîtront

Potencial
Simple apparaîtrais, apparaîtrais, apparaîtrait;
apparaîtrions, apparaîtriez, apparaîtraient

Presente
Subjuntivo apparaisse, apparaisses, apparaisse;
apparaissions, apparaissiez, apparaissent

Pret. Imp.
Subjuntivo apparusse, apparusses, apparût;
apparussions, apparussiez, apparussent

Pret. Perf.
Indicativo ai apparu, as apparu, a apparu;
avons apparu, avez apparu, ont apparu

Pret. Plus.
Indicativo avais apparu, avais apparu, avait apparu;
avions apparu, aviez apparu, avaient apparu

Pretérito
Anterior eus apparu, eus apparu, eut apparu;
eûmes apparu, eûtes apparu, eurent apparu

Fut. Perf.
Indicativo aurai apparu, auras apparu, aura apparu;
aurons apparu, aurez apparu, auront apparu

Potencial
Perfecto aurais apparu, aurais apparu, aurait apparu;
aurions apparu, auriez apparu, auraient apparu

Pret. Perf.
Subjuntivo aie apparu, aies apparu, ait apparu;
ayons apparu, ayez apparu, aient apparu

Pret. Plus.
Subjuntivo eusse apparu, eusses apparu, eût apparu;
eussions apparu, eussiez apparu, eussent apparu

Imperativo apparais, apparaissons, apparaissez

Presente *Indicativo*	appartiens, appartiens, appartient; appartenons, appartenez, appartiennent
Pret. Imp. *Indicativo*	appartenais, appartenais, appartenait; appartenions, apparteniez, appartenaient
Pret. Indef. *Indicativo*	appartins, appartins, appartint; appartînmes, appartîntes, appartinrent
Fut. Imp. *Indicativo*	appartiendrai, appartiendras, appartiendra; appartiendrons, appartiendrez, appartiendront
Potencial *Simple*	appartiendrais, appartiendrais, appartiendrait; appartiendrions, appartiendriez, appartiendraient
Presente *Subjuntivo*	appartienne, appartiennes, appartienne; appartenions, apparteniez, appartiennent
Pret. Imp. *Subjuntivo*	appartinsse, appartinsses, appartînt; appartinssions, appartinssiez, appartinssent
Pret. Perf. *Indicativo*	ai appartenu, as appartenu, a appartenu; avons appartenu, avez appartenu, ont appartenu
Pret. Plus. *Indicativo*	avais appartenu, avais appartenu, avait appartenu; avions appartenu, aviez appartenu, avaient appartenu
Pretérito *Anterior*	eus appartenu, eus appartenu, eut appartenu; eûmes appartenu, eûtes appartenu, eurent appartenu
Fut. Perf. *Indicativo*	aurai appartenu, auras appartenu, aura appartenu; aurons appartenu, aurez appartenu, auront appartenu
Potencial *Perfecto*	aurais appartenu, aurais appartenu, aurait appartenu; aurions appartenu, auriez appartenu, auraient appartenu
Pret. Perf. *Subjuntivo*	aie appartenu, aies appartenu, ait appartenu; ayons appartenu, ayez appartenu, aient appartenu
Pret. Plus. *Subjuntivo*	eusse appartenu, eusses appartenu, eût appartenu; eussions appartenu, eussiez appartenu, eussent appartenu
Imperativo	appartiens, appartenons, appartenez

pertenecer

Presente *Indicativo*	appelle, appelles, appelle; appelons, appelez, appellent	*llamar*
Pret. Imp. *Indicativo*	appelais, appelais, appelait; appelions, appeliez, appelaient	
Pret. Indef. *Indicativo*	appelai, appelas, appela; appelâmes, appelâtes, appelèrent	
Fut. Imp. *Indicativo*	appellerai, appelleras, appellera; appellerons, appellerez, appelleront	
Potencial *Simple*	appellerais, appellerais, appellerait; appellerions, appelleriez, appelleraient	
Presente *Subjuntivo*	appelle, appelles, appelle; appelions, appeliez, appellent	
Pret. Imp. *Subjuntivo*	appelasse, appelasses, appelât; appelassions, appelassiez, appelassent	
Pret. Perf. *Indicativo*	ai appelé, as appelé, a appelé; avons appelé, avez appelé, ont appelé	
Pret. Plus. *Indicativo*	avais appelé, avais appelé, avait appelé; avions appelé, aviez appelé, avaient appelé	
Pretérito *Anterior*	eus appelé, eus appelé, eut appelé; eûmes appelé, eûtes appelé, eurent appelé	
Fut. Perf. *Indicativo*	aurai appelé, auras appelé, aura appelé; aurons appelé, aurez appelé, auront appelé	
Potencial *Perfecto*	aurais appelé, aurais appelé, aurait appelé; aurions appelé, auriez appelé, auraient appelé	
Pret. Perf. *Subjuntivo*	aie appelé, aies appelé, ait appelé; ayons appelé, ayez appelé, aient appelé	
Pret. Plus. *Subjuntivo*	eusse appelé, eusses appelé, eût appelé; eussions appelé, eussiez appelé, eussent appelé	
Imperativo	appelle, appelons, appelez	

Presente	m'appelle, t'appelles, s'appelle;	
Indicativo	nous appelons, vous appelez, s'appellent	*llamarse*
Pret. Imp.	m'appelais, t'appelais, s'appelait;	
Indicativo	nous appelions, vous appeliez, s'appelaient	
Pret. Indef.	m'appelai, t'appelas, s'appela;	
Indicativo	nous appelâmes, vous appelâtes, s'appelèrent	
Fut. Imp.	m'appellerai, t'appelleras, s'appellera;	
Indicativo	nous appellerons, vous appellerez, s'appelleront	
Potencial	m'appellerais, t'appellerais, s'appellerait;	
Simple	nous appellerions, vous appelleriez, s'appelleraient	
Presente	m'appelle, t'appelles, s'appelle;	
Subjuntivo	nous appelions, vous appeliez, s'appellent	
Pret. Imp.	m'appelasse, t'appelasses, s'appelât;	
Subjuntivo	nous appelassions, vous appelassiez, s'appelassent	
Pret. Perf.	me suis appelé(e), t'es appelé(e), s'est appelé(e);	
Indicativo	nous sommes appelé(e)s, vous êtes appelé(e)(s), se sont appelé(e)s	
Pret. Plus.	m'étais appelé(e), t'étais appelé(e), s'était appelé(e);	
Indicativo	nous étions appelé(e)s, vous étiez appelé(e)(s), s'étaient appelé(e)s	
Pretérito	me fus appelé(e), te fus appelé(e), se fut appelé(e);	
Anterior	nous fûmes appelé(e)s, vous fûtes appelé(e)(s), se furent appelé(e)s	
Fut. Perf.	me serai appelé(e), te seras appelé(e), se sera appelé(e);	
Indicativo	nous serons appelé(e)s, vous serez appelé(e)(s), se seront appelé(e)s	
Potencial	me serais appelé(e), te serais appelé(e), se serait appelé(e);	
Perfecto	nous serions appelé(e)s, vous seriez appelé(e)(s), se seraient appelé(e)s	
Pret. Perf.	me sois appelé(e), te sois appelé(e), se soit appelé(e);	
Subjuntivo	nous soyons appelé(e)s, vous soyez appelé(e)(s), se soient appelé(e)s	
Pret. Plus.	me fusse appelé(e), te fusses appelé(e), se fût appelé(e);	
Subjuntivo	nous fussions appelé(e)s, vous fussiez appelé(e)(s), se fussent appelé(e)s	
Imperativo	appelle-toi, appelons-nous, appelez-vous	

19

Presente	apporte, apportes, apporte;	
Indicativo	apportons, apportez, apportent	*traer*
Pret. Imp.	apportais, apportais, apportait;	
Indicativo	apportions, apportiez, apportaient	
Pret. Indef.	apportai, apportas, apporta;	
Indicativo	apportâmes, apportâtes, apportèrent	
Fut. Imp.	apporterai, apporteras, apportera;	
Indicativo	apporterons, apporterez, apporteront	
Potencial	apporterais, apporterais, apporterait;	
Simple	apporterions, apporteriez, apporteraient	
Presente	apporte, apportes, apporte;	
Subjuntivo	apportions, apportiez, apportent	
Pret. Imp.	apportasse, apportasses, apportât;	
Subjuntivo	apportassions, apportassiez, apportassent	
Pret. Perf.	ai apporté, as apporté, a apporté;	
Indicativo	avons apporté, avez apporté, ont apporté	
Pret. Plus.	avais apporté, avais apporté, avait apporté;	
Indicativo	avions apporté, aviez apporté, avaient apporté	
Pretérito	eus apporté, eus apporté, eut apporté;	
Anterior	eûmes apporté, eûtes apporté, eurent apporté	
Fut. Perf.	aurai apporté, auras apporté, aura apporté;	
Indicativo	aurons apporté, aurez apporté, auront apporté	
Potencial	aurais apporté, aurais apporté, aurait apporté;	
Perfecto	aurions apporté, auriez apporté, auraient apporté	
Pret. Perf.	aie apporté, aies apporté, ait apporté;	
Subjuntivo	ayons apporté, ayez apporté, aient apporté	
Pret. Plus.	eusse apporté, eusses apporté, eût apporté;	
Subjuntivo	eussions apporté, eussiez apporté, eussent apporté	
Imperativo	apporte, apportons, apportez	

Presente *Indicativo*	apprends, apprends, apprend; apprenons, apprenez, apprennent	*aprender*
Pret. Imp. *Indicativo*	apprenais, apprenais, apprenait; apprenions, appreniez, apprenaient	
Pret. Indef. *Indicativo*	appris, appris, apprit; apprîmes, apprîtes, apprirent	
Fut. Imp. *Indicativo*	apprendrai, apprendras, apprendra; apprendrons, apprendrez, apprendront	
Potencial *Simple*	apprendrais, apprendrais, apprendrait; apprendrions, apprendriez, apprendraient	
Presente *Subjuntivo*	apprenne, apprennes, apprenne; apprenions, appreniez, apprennent	
Pret. Imp. *Subjuntivo*	apprisse, apprisses, apprît; apprissions, apprissiez, apprissent	
Pret. Perf. *Indicativo*	ai appris, as appris, a appris; avons appris, avez appris, ont appris	
Pret. Plus. *Indicativo*	avais appris, avais appris, avait appris; avions appris, aviez appris, avaient appris	
Pretérito *Anterior*	eus appris, eus appris, eut appris; eûmes appris, eûtes appris, eurent appris	
Fut. Perf. *Indicativo*	aurai appris, auras appris, aura appris; aurons appris, aurez appris, auront appris	
Potencial *Perfecto*	aurais appris, aurais appris, aurait appris; aurions appris, auriez appris, auraient appris	
Pret. Perf. *Subjuntivo*	aie appris, aies appris, ait appris; ayons appris, ayez appris, aient appris	
Pret. Plus. *Subjuntivo*	eusse appris, eusses appris, eût appris; eussions appris, eussiez appris, eussent appris	
Imperativo	apprends, apprenons, apprenez	

21

Presente *Indicativo*	m'arrête, t'arrête, s'arrête; nous arrêtons, vous arrêtez, s'arrêtent
Pret. Imp. *Indicativo*	m'arrêtais, t'arrêtais, s'arrêtait; nous arrêtions, vous arrêtiez, s'arrêtaient
Pret. Indef. *Indicativo*	m'arrêtai, t'arrêtas, s'arrêta; nous arrêtâmes, vous arrêtâtes, s'arrêtèrent
Fut. Imp. *Indicativo*	m'arrêterai, t'arrêteras, s'arrêtera; nous arrêterons, vous arrêterez, s'arrêteront
Potencial *Simple*	m'arrêterais, t'arrêterais, s'arrêterait; nous arrêterions, vous arrêteriez, s'arrêteraient
Presente *Subjuntivo*	m'arrête, t'arrêtes, s'arrête; nous arrêtions, vous arrêtiez, s'arrêtent
Pret. Imp. *Subjuntivo*	m'arrêtasse, t'arrêtasses, s'arrêtât; nous arrêtassions, vous arrêtassiez, s'arrêtassent
Pret. Perf. *Indicativo*	me suis arrêté(e), t'es arrêté(e), s'est arrêté(e); nous sommes arrêté(e)s, vous êtes arrêté(e)(s), se sont arrêté(e)s
Pret. Plus. *Indicativo*	m'étais arrêté(e), t'étais arrêté(e), s'était arrêté(e); nous étions arrêté(e)s, vous étiez arrêté(e)(s), s'étaient arrêté(e)s
Pretérito *Anterior*	me fus arrêté(e), te fus arrêté(e), se fut arrêté(e); nous fûmes arrêté(e)s, vous fûtes arrêté(e)(s), se furent arrêté(e)s
Fut. Perf. *Indicativo*	me serai arrêté(e), te seras arrêté(e), se sera arrêté(e); nous serons arrêté(e)s, vous serez arrêté(e)(s), se seront arrêté(e)s
Potencial *Perfecto*	me serais arrêté(e), te serais arrêté(e), se serait arrêté(e); nous serions arrêté(e)s, vous seriez arrêté(e)(s), se seraient arrêté(e)s
Pret. Perf. *Subjuntivo*	me sois arrêté(e), te sois arrêté(e), se soit arrêté(e); nous soyons arrêté(e)s, vous soyez arrêté(e)(s), se soient arrêté(e)s
Pret. Plus. *Subjuntivo*	me fusse arrêté(e), te fusses arrêté(e), se fût arrêté(e); nous fussions arrêté(e)s, vous fussiez arrêté(e)(s), se fussent arrêté(e)s
Imperativo	arrête-toi, arrêtons-nous, arrêtez-vous

detenerse

Presente *Indicativo*	arrive, arrives, arrive; arrivons, arrivez, arrivent	*llegar*
Pret. Imp. *Indicativo*	arrivais, arrivais, arrivait; arrivions, arriviez, arrivaient	
Pret. Indef. *Indicativo*	arrivai, arrivas, arriva; arrivâmes, arrivâtes, arrivèrent	
Fut. Imp. *Indicativo*	arriverai, arriveras, arrivera; arriverons, arriverez, arriveront	
Potencial *Simple*	arriverais, arriverais, arriverait; arriverions, arriveriez, arriveraient	
Presente *Subjuntivo*	arrive, arrives, arrive; arrivions, arriviez, arrivent	
Pret. Imp. *Subjuntivo*	arrivasse, arrivasses, arrivât; arrivassions, arrivassiez, arrivassent	
Pret. Perf. *Indicativo*	suis arrivé(e), es arrivé(e), est arrivé(e); sommes arrivé(e)s, êtes arrivé(e)(s), sont arrivé(e)s	
Pret. Plus. *Indicativo*	étais arrivé(e), étais arrivé(e), était arrivé(e); étions arrivé(e)s, étiez arrivé(e)(s), étaient arrivé(e)s	
Pretérito *Anterior*	fus arrivé(e), fus arrivé(e), fut arrivé(e); fûmes arrivé(e)s, fûtes arrivé(e)(s), furent arrivé(e)s	
Fut. Perf. *Indicativo*	serai arrivé(e), seras arrivé(e), sera arrivé(e); serons arrivé(e)s, serez arrivé(e)(s), seront arrivé(e)s	
Potencial *Perfecto*	serais arrivé(e), serais arrivé(e), serait arrivé(e); serions arrivé(e)s, seriez arrivé(e)(s), seraient arrivé(e)s	
Pret. Perf. *Subjuntivo*	sois arrivé(e), sois arrivé(e), soit arrivé(e); soyons arrivé(e)s, soyez arrivé(e)(s), soient arrivé(e)s	
Pret. Plus. *Subjuntivo*	fusse arrivé(e), fusses arrivé(e), fût arrivé(e); fussions arrivé(e)s, fussiez arrivé(e)(s), fussent arrivé(e)s	
Imperativo	arrive, arrivons, arrivez	

Presente *Indicativo*	assaille, assailles, assaille; assaillons, assaillez, assaillent	*asaltar*
Pret. Imp. *Indicativo*	assaillais, assaillais, assaillait; assaillions, assailliez, assaillaient	
Pret. Indef. *Indicativo*	assaillis, assaillis, assaillit; assaillîmes, assaillîtes, assaillirent	
Fut. Imp. *Indicativo*	assaillirai, assailliras, assaillira; assaillirons, assaillirez, assailliront	
Potencial *Simple*	assaillirais, assaillirais, assaillirait; assaillirions, assailliriez, assailliraient	
Presente *Subjuntivo*	assaille, assailles, assaille; assaillions, assailliez, assaillent	
Pret. Imp. *Subjuntivo*	assaillisse, assaillisses, assaillît; assaillissions, assaillissiez, assaillissent	
Pret. Perf. *Indicativo*	ai assailli, as assailli, a assailli; avons assailli, avez assailli, ont assailli	
Pret. Plus. *Indicativo*	avais assailli, avais assailli, avait assailli; avions assailli, aviez assailli, avaient assailli	
Pretérito *Anterior*	eus assailli, eus assailli, eut assailli; eûmes assailli, eûtes assailli, eurent assailli	
Fut. Perf. *Indicativo*	aurai assailli, auras assailli, aura assailli; aurons assailli, aurez assailli, auront assailli	
Potencial *Perfecto*	aurais assailli, aurais assailli, aurait assailli; aurions assailli, auriez assailli, auraient assailli	
Pret. Perf. *Subjuntivo*	aie assailli, aies assailli, ait assailli; ayons assailli, ayez assailli, aient assailli	
Pret. Plus. *Subjuntivo*	eusse assailli, eusses assailli, eût assailli; eussions assailli, eussiez assailli, eussent assailli	
Imperativo	assaille, assaillons, assaillez	

s'asseoir

sentarse

Presente	m'assieds, t'assieds, s'assied;
Indicativo	nous asseyons, vous asseyez, s'asseyent
Pret. Imp.	m'asseyais, t'asseyais, s'asseyait;
Indicativo	nous asseyions, vous asseyiez, s'asseyaient
Pret. Indef.	m'assis, t'assis, s'assit;
Indicativo	nous assîmes, vous assîtes, s'assirent
Fut. Imp.	m'assiérai, t'assiéras, s'assiéra;
Indicativo	nous assiérons, vous assiérez, s'assiéront
Potencial	m'assiérais, t'assiérais, s'assiérait;
Simple	nous assiérions, vous assiériez, s'assiéraient
Presente	m'asseye, t'asseyes, s'asseye;
Subjuntivo	nous asseyions, vous asseyiez, s'asseyent
Pret. Imp.	m'assisse, t'assisses, s'assît;
Subjuntivo	nous assissions, vous assissiez, s'assissent
Pret. Perf.	me suis assis(e), t'es assis(e), s'est assis(e);
Indicativo	nous sommes assis(es), vous êtes assis(e)(es), se sont assis(es)
Pret. Plus.	m'étais assis(e), t'étais assis(e), s'était assis(e);
Indicativo	nous étions assis(es), vous étiez assis(e)(es), s'étaient assis(es)
Pretérito	me fus assis(e), te fus assis(e), se fut assis(e);
Anterior	nous fûmes assis(es), vous fûtes assis(e)(es), se furent assis(es)
Fut. Perf.	me serai assis(e), te seras assis(e), se sera assis(e);
Indicativo	nous serons assis(es), vous serez assis(e)(es), se seront assis(es)
Potencial	me serais assis(e), te serais assis(e), se serait assis(e);
Perfecto	nous serions assis(es), vous seriez assis(e)(es), se seraient assis(es)
Pret. Perf.	me sois assis(e), te sois assis(e), se soit assis(e);
Subjuntivo	nous soyons assis(es), vous soyez assis(e)(es), se soient assis(es)
Pret. Plus.	me fusse assis(e), te fusses assis(e), se fût assis(e);
Subjuntivo	nous fussions assis(es), vous fussiez assis(e)(es), se fussent assis(es)
Imperativo	assieds-toi, asseyons-nous, asseyez-vous

Presente	atteins, atteins, atteint;	*alcanzar*
Indicativo	atteignons, atteignez, atteignent	

Pret. Imp.	atteignais, atteignais, atteignait;
Indicativo	atteignions, atteigniez, atteignaient

Pret. Indef.	atteignis, atteignis, atteignit;
Indicativo	atteignîmes, atteignîtes, atteignirent

Fut. Imp.	atteindrai, atteindras, atteindra;
Indicativo	atteindrons, atteindrez, atteindront

Potencial	atteindrais, atteindrais, atteindrait;
Simple	atteindrions, atteindriez, atteindraient

Presente	atteigne, atteignes, atteigne;
Subjuntivo	atteignions, atteigniez, atteignent

Pret. Imp.	atteignisse, atteignisses, atteignît;
Subjuntivo	atteignissions, atteignissiez, atteignissent

Pret. Perf.	ai atteint, as atteint, a atteint;
Indicativo	avons atteint, avez atteint, ont atteint

Pret. Plus.	avais atteint, avais atteint, avait atteint;
Indicativo	avions atteint, aviez atteint, avaient atteint

Pretérito	eus atteint, eus atteint, eut atteint;
Anterior	eûmes atteint, eûtes atteint, eurent atteint

Fut. Perf.	aurai atteint, auras atteint, aura atteint;
Indicativo	aurons atteint, aurez atteint, auront atteint

Potencial	aurais atteint, aurais atteint, aurait atteint;
Perfecto	aurions atteint, auriez atteint, auraient atteint

Pret. Perf.	aie atteint, aies atteint, ait atteint;
Subjuntivo	ayons atteint, ayez atteint, aient atteint

Pret. Plus.	eusse atteint, eusses atteint, eût atteint;
Subjuntivo	eussions atteint, eussiez atteint, eussent atteint

Imperativo	atteins, atteignons, atteignez

Presente	attends, attends, attend;	
Indicativo	attendons, attendez, attendent	*esperar,*
Pret. Imp.	attendais, attendais, attendait;	*aguardar*
Indicativo	attendions, attendiez, attendaient	
Pret. Indef.	attendis, attendis, attendit;	
Indicativo	attendîmes, attendîtes, attendirent	
Fut. Imp.	attendrai, attendras, attendra;	
Indicativo	attendrons, attendrez, attendront	
Potencial	attendrais, attendrais, attendrait;	
Simple	attendrions, attendriez, attendraient	
Presente	attende, attendes, attende;	
Subjuntivo	attendions, attendiez, attendent	
Pret. Imp.	attendisse, attendisses, attendît;	
Subjuntivo	attendissions, attendissiez, attendissent	
Pret. Perf.	ai attendu, as attendu, a attendu;	
Indicativo	avons attendu, avez attendu, ont attendu	
Pret. Plus.	avais attendu, avais attendu, avait attendu;	
Indicativo	avions attendu, aviez attendu, avaient attendu	
Pretérito	eus attendu, eus attendu, eut attendu;	
Anterior	eûmes attendu, eûtes attendu, eurent attendu	
Fut. Perf.	aurai attendu, auras attendu, aura attendu;	
Indicativo	aurons attendu, aurez attendu, auront attendu	
Potencial	aurais attendu, aurais attendu, aurait attendu;	
Perfecto	aurions attendu, auriez attendu, auraient attendu	
Pret. Perf.	aie attendu, aies attendu, ait attendu;	
Subjuntivo	ayons attendu, ayez attendu, aient attendu	
Pret. Plus.	eusse attendu, eusses attendu, eût attendu;	
Subjuntivo	eussions attendu, eussiez attendu, eussent attendu	
Imperativo	attends, attendons, attendez	

avoir

Presente *Indicativo*	ai, as, a; avons, avez, ont	*haber,*
Pret. Imp. *Indicativo*	avais, avais, avait; avions, aviez, avaient	*tener*
Pret. Indef. *Indicativo*	eus, eus, eut; eûmes, eûtes, eurent	
Fut. Imp. *Indicativo*	aurai, auras, aura; aurons, aurez, auront	
Potencial *Simple*	aurais, aurais, aurait; aurions, auriez, auraient	
Presente *Subjuntivo*	aie, aies, ait; ayons, ayez, aient	
Pret. Imp. *Subjuntivo*	eusse, eusses, eût; eussions, eussiez, eussent	
Pret. Perf. *Indicativo*	ai eu, as eu, a eu; avons eu, avez eu, ont eu	
Pret. Plus. *Indicativo*	avais eu, avais eu, avait eu; avions eu, aviez eu, avaient eu	
Pretérito *Anterior*	eus eu, eus eu, eut eu; eûmes eu, eûtes eu, eurent eu	
Fut. Perf. *Indicativo*	aurai eu, auras eu, aura eu; aurons eu, aurez eu, auront eu	
Potencial *Perfecto*	aurais eu, aurais eu, aurait eu; aurions eu, auriez eu, auraient eu	
Pret. Perf. *Subjuntivo*	aie eu, aies eu, ait eu; ayons eu, ayez eu, aient eu	
Pret. Plus. *Subjuntivo*	eusse eu, eusses eu, eût eu; eussions eu, eussiez eu, eussent eu	
Imperativo	aie, ayons, ayez	

Presente *Indicativo*	bâtis, bâtis, bâtit; bâtissons, bâtissez, bâtissent	*construir*
Pret. Imp. *Indicativo*	bâtissais, bâtissais, bâtissait; bâtissions, bâtissiez, bâtissaient	
Pret. Indef. *Indicativo*	bâtis, bâtis, bâtit; bâtîmes, bâtîtes, bâtirent	
Fut. Imp. *Indicativo*	bâtirai, bâtiras, bâtira; bâtirons, bâtirez, bâtiront	
Potencial *Simple*	bâtirais, bâtirais, bâtirait; bâtirions, bâtiriez, bâtiraient	
Presente *Subjuntivo*	bâtisse, bâtisses, bâtisse; bâtissions, bâtissiez, bâtissent	
Pret. Imp. *Subjuntivo*	bâtisse, bâtisse, bâtît; bâtissions, bâtissiez, bâtissent	
Pret. Perf. *Indicativo*	ai bâti, as bâti, a bâti; avons bâti, avez bâti, ont bâti	
Pret. Plus. *Indicativo*	avais bâti, avais bâti, avait bâti; avions bâti, aviez bâti, avaient bâti	
Pretérito *Anterior*	eus bâti, eus bâti, eut bâti; eûmes bâti, eûtes bâti, eurent bâti	
Fut. Perf *Indicativo*	aurai bâti, auras bâti, aura bâti; aurons bâti, aurez bâti, auront bâti	
Potencial *Perfecto*	aurais bâti, aurais bâti, aurait bâti; aurions bâti, auriez bâti, auraient bâti	
Pret. Perf. *Subjuntivo*	aie bâti, aies bâti, ait bâti; ayons bâti, ayez bâti, aient bâti	
Pret. Plus. *Subjuntivo*	eusse bâti, eusses bâti, eût bâti; eussions bâti, eussiez bâti, eussent bâti	
Imperativo	bâtis, bâtissons, bâtissez	

29

Presente	bats, bats, bat;	*golpear,*
Indicativo	battons, battez, battent	*pegar,*
Pret. Imp.	battais, battais, battait;	*batir*
Indicativo	battions, battiez, battaient	
Pret. Indef.	battis, battis, battit;	
Indicativo	battîmes, battîtes, battirent	
Fut. Imp.	battrai, battras, battra;	
Indicativo	battrons, battrez, battront	
Potencial	battrais, battrais, battrait;	
Simple	battrions, battriez, battraient	
Presente	batte, battes, batte;	
Subjuntivo	battions, battiez, battent	
Pret. Imp.	battisse, battisses, battît;	
Subjuntivo	battissions, battissiez, battissent	
Pret. Perf.	ai battu, as battu, a battu;	
Indicativo	avons battu, avez battu, ont battu	
Pret. Plus.	avais battu, avais battu, avait battu;	
Indicativo	avions battu, aviez battu, avaient battu	
Pretérito	eus battu, eus battu, eut battu;	
Anterior	eûmes battu, eûtes battu, eurent battu	
Fut. Perf.	aurai battu, auras battu, aura battu;	
Indicativo	aurons battu, aurez battu, auront battu	
Potencial	aurais battu, aurais battu, aurait battu;	
Perfecto	aurions battu, auriez battu, auraient battu	
Pret. Perf.	aie battu, aies battu, ait battu;	
Subjuntivo	ayons battu, ayez battu, aient battu	
Pret. Plus.	eusse battu, eusses battu, eût battu;	
Subjuntivo	eussions battu, eussiez battu, eussent battu	
Imperativo	bats, battons, battez	

Presente *Indicativo*	me bats, te bats, se bat; nous battons, vous battez, se battent
Pret. Imp. *Indicativo*	me battais, te battais, se battait; nous battions, vous battiez, se battaient
Pret. Indef. *Indicativo*	me battis, te battis, se battit; nous battîmes, vous battîtes, se battirent
Fut. Imp. *Indicativo*	me battrai, te battras, se battra; nous battrons, vous battrez, se battront
Potencial *Simple*	me battrais, te battrais, se battrait; nous battrions, vous battriez, se battraient
Presente *Subjuntivo*	me batte, te battes, se batte; nous battions, vous battiez, se battent
Pret. Imp. *Subjuntivo*	me battisse, te battisses, se battît; nous battissions, vous battissiez, se battissent
Pret. Perf. *Indicativo*	me suis battu(e), t'es battu(e), s'est battu(e); nous sommes battu(e)s, vous êtes battu(e)(s), se sont battu(e)s
Pret. Plus. *Indicativo*	m'étais battu(e), t'étais battu(e), s'était battu(e); nous étions battu(e)s, vous étiez battu(e)(s), s'étaient battu(e)s
Pretérito *Anterior*	me fus battu(e), te fus battu(e), se fut battu(e); nous fûmes battu(e)s, vous fûtes battu(e)(s), se furent battu(e)s
Fut. Perf. *Indicativo*	me serai battu(e), te seras battu(e), se sera battu(e); nous serons battu(e)s, vous serez battu(e)(s), se seront battu(e)s
Potencial *Perfecto*	me serais battu(e), te serais battu(e), se serait battu(e); nous serions battu(e)s, vous seriez battu(e)(s), se seraient battu(e)s
Pret. Perf. *Subjuntivo*	me sois battu(e), te sois battu(e), se soit battu(e); nous soyons battu(e)s, vous soyez battu(e)(s), se soient battu(e)s
Pret. Plus. *Subjuntivo*	me fusse battu(e), te fusses battu(e), se fût battu(e); nous fussions battu(e)s, vous fussiez battu(e)(s), se fussent battu(e)s
Imperativo	bats-toi, battons-nous, battez-vous

combatir,
batirse

Presente *Indicativo*	me blesse, te blesses, se blesse; nous blessons, vous blessez, se blessent
Pret. Imp. *Indicativo*	me blessais, te blessais, se blessait; nous blessions, vous blessiez, se blessaient
Pret. Indef. *Indicativo*	me blessai, te blessas, se blessa; nous blessâmes, vous blessâtes, se blessèrent
Fut. Imp. *Indicativo*	me blesserai, te blesseras, se blessera; nous blesserons, vous blesserez, se blesseront
Potencial *Simple*	me blesserais, te blesserais, se blesserait; nous blesserions, vous blesseriez, se blesseraient
Presente *Subjuntivo*	me blesse, te blesses, se blesse; nous blessions, vous blessiez, se blessent
Pret. Imp. *Subjuntivo*	me blessasse, te blessasses, se blessât; nous blessassions, vous blessassiez, se blessassent
Pret. Perf. *Indicativo*	me suis blessé(e), t'es blessé(e), s'est blessé(e); nous sommes blessé(e)s, vous êtes blessé(e)(s), se sont blessé(e)s
Pret. Plus. *Indicativo*	m'étais blessé(e), t'étais blessé(e), s'était blessé(e); nous étions blessé(e)s, vous étiez blessé(e)(s), s'étaient blessé(e)s
Pretérito *Anterior*	me fus blessé(e), te fus blessé(e), se fut blessé(e); nous fûmes blessé(e)s, vous fûtes blessé(e)(s), se furent blessé(e)s
Fut. Perf. *Indicativo*	me serai blessé(e), te seras blessé(e), se sera blessé(e); nous serons blessé(e)s, vous serez blessé(e)(s), se seront blessé(e)s
Potencial *Perfecto*	me serais blessé(e), te serais blessé(e), se serait blessé(e); nous serions blessé(e)s, vous seriez blessé(e)(s), se seraient blessé(e)s
Pret. Perf. *Subjuntivo*	me sois blessé(e), te sois blessé(e), se soit blessé(e); nous soyons blessé(e)s, vous soyez blessé(e)(s), se soient blessé(e)s
Pret. Plus. *Subjuntivo*	me fusse blessé(e), te fusses blessé(e), se fût blessé(e); nous fussions blessé(e)s, vous fussiez blessé(e)(s), se fussent blessé(e)s
Imperativo	[no se emplea]

dañarse,
hacerse daño

Presente *Indicativo*	bois, bois, boit; buvons, buvez, boivent
Pret. Imp. *Indicativo*	buvais, buvais, buvait; buvions, buviez, buvaient
Pret. Indef. *Indicativo*	bus, bus, but; bûmes, bûtes, burent
Fut. Imp. *Indicativo*	boirai, boiras, boira; boirons, boirez, boiront
Potencial *Simple*	boirais, boirais, boirait; boirions, boiriez, boiraient
Presente *Subjuntivo*	boive, boives, boive; buvions, buviez, boivent
Pret. Imp. *Subjuntivo*	busse, busses, bût; bussions, bussiez, bussent
Pret. Perf. *Indicativo*	ai bu, as bu, a bu; avons bu, avez bu, ont bu
Pret. Plus. *Indicativo*	avais bu, avais bu, avait bu; avions bu, aviez bu, avaient bu
Pretérito *Anterior*	eus bu, eus bu, eut bu; eûmes bu, eûtes bu, eurent bu
Fut. Perf. *Indicativo*	aurai bu, auras bu, aura bu; aurons bu, aurez bu, auront bu
Potencial *Perfecto*	aurais bu, aurais bu, aurait bu; aurions bu, auriez bu, auraient bu
Pret. Perf. *Subjuntivo*	aie bu, aies bu, ait bu; ayons bu, ayez bu, aient bu
Pret. Plus. *Subjuntivo*	eusse bu, eusses bu, eût bu; eussions bu, eussiez bu, eussent bu
Imperativo	bois, buvons, buvez

beber

Presente *Indicativo*	bouge, bouges, bouge; bougeons, bougez, bougent
Pret. Imp. *Indicativo*	bougeais, bougeais, bougeait; bougions, bougiez, bougeaient
Pret. Indef. *Indicativo*	bougeai, bougeas, bougea; bougeâmes, bougeâtes, bougèrent
Fut. Imp. *Indicativo*	bougerai, bougeras, bougera; bougerons, bougerez, bougeront
Potencial *Simple*	bougerais, bougerais, bougerait; bougerions, bougeriez, bougeraient
Presente *Subjuntivo*	bouge, bouges, bouge; bougions, bougiez, bougent
Pret. Imp. *Subjuntivo*	bougeasse, bougeasses, bougeât; bougeassions, bougeassiez, bougeassent
Pret. Perf. *Indicativo*	ai bougé, as bougé, a bougé; avons bougé, avez bougé, ont bougé
Pret. Plus. *Indicativo*	avais bougé, avais bougé, avait bougé; avions bougé, aviez bougé, avaient bougé
Pretérito *Anterior*	eus bougé, eus bougé, eut bougé; eûmes bougé, eûtes bougé, eurent bougé
Fut. Perf. *Indicativo*	aurai bougé, auras bougé, aura bougé; aurons bougé, aurez bougé, auront bougé
Potencial *Perfecto*	aurais bougé, aurais bougé, aurait bougé; aurions bougé, auriez bougé, auraient bougé
Pret. Perf. *Subjuntivo*	aie bougé, aies bougé, ait bougé; ayons bougé, ayez bougé, aient bougé
Pret. Plus. *Subjuntivo*	eusse bougé, eusses bougé, eût bougé; eussions bougé, eussiez bougé, eussent bougé
Imperativo	bouge, bougeons, bougez

moverse,
menearse

Presente	bous, bous, bout;	*bullir*
Indicativo	bouillons, bouillez, bouillent	

Pret. Imp.	bouillais, bouillais, bouillait;
Indicativo	bouillions, bouilliez, bouillaient
Pret. Indef.	bouillis, bouillis, bouillit;
Indicativo	bouillîmes, bouillîtes, bouillirent
Fut. Imp.	bouillirai, bouilliras, bouillira;
Indicativo	bouillirons, bouillirez, bouilliront
Potencial	bouillirais, bouillirais, bouillirait;
Simple	bouillirions, bouilliriez, bouilliraient
Presente	bouille, bouilles, bouille;
Subjuntivo	bouillions, bouilliez, bouillent
Pret. Imp.	bouillisse, bouillisses, bouillît;
Subjuntivo	bouillissions, bouillissiez, bouillissent
Pret. Perf.	ai bouilli, as bouilli, a bouilli;
Indicativo	avons bouilli, avez bouilli, ont bouilli
Pret. Plus.	avais bouilli, avais bouilli, avait bouilli;
Indicativo	avions bouilli, aviez bouilli, avaient bouilli
Pretérito	eus bouilli, eus bouilli, eut bouilli;
Anterior	eûmes bouilli, eûtes bouilli, eurent bouilli
Fut. Perf.	aurai bouilli, auras bouilli, aura bouilli;
Indicativo	aurons bouilli, aurez bouilli, auront bouilli
Potencial	aurais bouilli, aurais bouilli, aurait bouilli;
Perfecto	aurions bouilli, auriez bouilli, auraient bouilli
Pret. Perf.	aie bouilli, aies bouilli, ait bouilli;
Subjuntivo	ayons bouilli, ayez bouilli, aient bouilli
Pret. Plus.	eusse bouilli, eusses bouilli, eût bouilli;
Subjuntivo	eussions bouilli, eussiez bouilli, eussent bouilli
Imperativo	[no se emplea]

Presente	me brosse, te brosses, se brosse;
Indicativo	nous brossons, vous brossez, se brossent

cepillar,
limpiarse (los dientes)

Pret. Imp.	me brossais, te brossais, se brossait;
Indicativo	nous brossions, vous brossiez, se brossaient
Pret. Indef.	me brossai, te brossas, se brossa;
Indicativo	nous brossâmes, vous brossâtes, se brossèrent
Fut. Imp.	me brosserai, te brosseras, se brossera;
Indicativo	nous brosserons, vous brosserez, se brosseront
Potencial	me brosserais, te brosserais, se brosserait;
Simple	nous brosserions, vous brosseriez, se brosseraient
Presente	me brosse, te brosses, se brosse;
Subjuntivo	nous brossions, vous brossiez, se brossent
Pret. Imp.	me brossasse, te brossasses, se brossât;
Subjuntivo	nous brossassions, vous brossassiez, se brossassent
Pret. Perf.	me suis brossé(e), t'es brossé(e), s'est brossé(e);
Indicativo	nous sommes brossé(e)s, vous êtes brossé(e)(s), se sont brossé(e)s
Pret. Plus.	m'étais brossé(e), t'étais brossé(e), s'était brossé(e);
Indicativo	nous étions brossé(e)s, vous étiez brossé(e)(s), s'étaient brossé(e)s
Pretérito	me fus brossé(e), te fus brossé(e), se fut brossé(e);
Anterior	nous fûmes brossé(e)s, vous fûtes brossé(e)(s), se furent brossé(e)s
Fut. Perf.	me serai brossé(e), te seras brossé(e), se sera brossé(e);
Indicativo	nous serons brossé(e)s, vous serez brossé(e)(s), se seront brossé(e)s
Potencial	me serais brossé(e), te serais brossé(e), se serait brossé(e);
Perfecto	nous serions brossé(e)s, vous seriez brossé(e)(s), se seraient brossé(e)s
Pret. Perf.	me sois brossé(e), te sois brossé(e), se soit brossé(e);
Subjuntivo	nous soyons brossé(e)s, vous soyez brossé(e)(s), se soient brossé(e)s
Pret. Plus.	me fusse brossé(e), te fusses brossé(e), se fût brossé(e);
Subjuntivo	nous fussions brossé(e)s, vous fussiez brossé(e)(s), se fussent brossé(e)s
Imperativo	brosse-toi, brossons-nous, brossez-vous

Presente	brûle, brûles, brûle;
Indicativo	brûlons, brûlez, brûlent

quemar,
abrasar

Pret. Imp.	brûlais, brûlais, brûlait;
Indicativo	brûlions, brûliez, brûlaient
Pret. Indef.	brûlai, brûlas, brûla;
Indicativo	brûlâmes, brûlâtes, brûlèrent
Fut. Imp.	brûlerai, brûleras, brûlera;
Indicativo	brûlerons, brûlerez, brûleront
Potencial	brûlerais, brûlerais, brûlerait;
Simple	brûlerions, brûleriez, brûleraient
Presente	brûle, brûles, brûle;
Subjuntivo	brûlions, brûliez, brûlent
Pret. Imp.	brûlasse, brûlasses, brûlât;
Subjuntivo	brûlassions, brûlassiez, brûlassent
Pret. Perf.	ai brûlé, as brûlé, a brûlé;
Indicativo	avons brûlé, avez brûlé, ont brûlé
Pret. Plus.	avais brûlé, avais brûlé, avait brûlé;
Indicativo	avions brûlé, aviez brûlé, avaient brûlé
Pretérito	eus brûlé, eus brûlé, eut brûlé;
Anterior	eûmes brûlé, eûtes brûlé, eurent brûlé
Fut. Perf.	aurai brûlé, auras brûlé, aura brûlé;
Indicativo	aurons brûlé, aurez brûlé, auront brûlé
Potencial	aurais brûlé, aurais brûlé, aurait brûlé;
Perfecto	aurions brûlé, auriez brûlé, auraient brûlé
Pret. Perf.	aie brûlé, aies brûlé, ait brûlé;
Subjuntivo	ayons brûlé, ayez brûlé, aient brûlé
Pret. Plus.	eusse brûlé, eusses brûlé, eût brûlé;
Subjuntivo	eussions brûlé, eussiez brûlé, eussent brûlé
Imperativo	brûle, brûlons, brûlez

Presente *Indicativo*	cache, caches, cache; cachons, cachez, cachent	
Pret. Imp. *Indicativo*	cachais, cachais, cachait; cachions, cachiez, cachaient	*esconder,* *ocultar*
Pret. Indef. *Indicativo*	cachai, cachas, cacha; cachâmes, cachâtes, cachèrent	
Fut. Imp. *Indicativo*	cacherai, cacheras, cachera; cacherons, cacherez, cacheront	
Potencial *Simple*	cacherais, cacherais, cacherait; cacherions, cacheriez, cacheraient	
Presente *Subjuntivo*	cache, caches, cache; cachions, cachiez, cachent	
Pret. Imp. *Subjuntivo*	cachasse, cachasses, cachât; cachassions, cachassiez, cachassent	
Pret. Perf. *Indicativo*	ai caché, as caché, a caché; avons caché, avez caché, ont caché	
Pret. Plus. *Indicativo*	avais caché, avais caché, avait caché; avions caché, aviez caché, avaient caché	
Pretérito *Anterior*	eus caché, eus caché, eut caché; eûmes caché, eûtes caché, eurent caché	
Fut. Perf. *Indicativo*	aurai caché, auras caché, aura caché; aurons caché, aurez caché, auront caché	
Potencial *Perfecto*	aurais caché, aurais caché, aurait caché; aurions caché, auriez caché, auraient caché	
Pret. Perf. *Subjuntivo*	aie caché, aies caché, ait caché; ayons caché, ayez caché, aient caché	
Pret. Plus. *Subjuntivo*	eusse caché, eusses caché, eût caché; eussions caché, eussiez caché, eussent caché	
Imperativo	cache, cachons, cachez	

Presente	casse, casses, casse;	*romper,*
Indicativo	cassons, cassez, cassent	*quebrar*
Pret. Imp.	cassais, cassais, cassait;	
Indicativo	cassions, cassiez, cassaient	
Pret. Indef.	cassai, cassas, cassa;	
Indicativo	cassâmes, cassâtes, cassèrent	
Fut. Imp.	casserai, casseras, cassera;	
Indicativo	casserons, casserez, casseront	
Potencial	casserais, casserais, casserait;	
Simple	casserions, casseriez, casseraient	
Presente	casse, casses, casse;	
Subjuntivo	cassions, cassiez, cassent	
Pret. Imp.	cassasse, cassasses, cassât;	
Subjuntivo	cassassions, cassassiez, cassassent	
Pret. Perf.	ai cassé, as cassé, a cassé;	
Indicativo	avons cassé, avez cassé, ont cassé	
Pret. Plus.	avais cassé, avais cassé, avait cassé;	
Indicativo	avions cassé, aviez cassé, avaient cassé	
Pretérito	eus cassé, eus cassé, eut cassé;	
Anterior	eûmes cassé, eûtes cassé, eurent cassé	
Fut. Perf.	aurai cassé, auras cassé, aura cassé;	
Indicativo	aurons cassé, aurez cassé, auront cassé	
Potencial	aurais cassé, aurais cassé, aurait cassé;	
Perfecto	aurions cassé, auriez cassé, auraient cassé	
Pret. Perf.	aie cassé, aies cassé, ait cassé;	
Subjuntivo	ayons cassé, ayez cassé, aient cassé	
Pret. Plus.	eusse cassé, eusses cassé, eût cassé;	
Subjuntivo	eussions cassé, eussiez cassé, eussent cassé	
Imperativo	casse, cassons, cassez	

Presente *Indicativo*	cause, causes, cause; causons, causez, causent	
Pret. Imp. *Indicativo*	causais, causais, causait; causions, causiez, causaient	*causar,* *charlar*
Pret. Indef. *Indicativo*	causai, causas, causa; causâmes, causâtes, causèrent	
Fut. Imp. *Indicativo*	causerai, causeras, causera; causerons, causerez, causeront	
Potencial *Simple*	causerais, causerais, causerait; causerions, causeriez, causeraient	
Presente *Subjuntivo*	cause, causes, cause; causions, causiez, causent	
Pret. Imp. *Subjuntivo*	causasse, causasses, causât; causassions, causassiez, causassent	
Pret. Perf. *Indicativo*	ai causé, as causé, a causé; avons causé, avez causé, ont causé	
Pret. Plus. *Indicativo*	avais causé, avais causé, avait causé; avions causé, aviez causé, avaient causé	
Pretérito *Anterior*	eus causé, eus causé, eut causé; eûmes causé, eûtes causé, eurent causé	
Fut. Perf. *Indicativo*	aurai causé, auras causé, aura causé; aurons causé, aurez causé, auront causé	
Potencial *Perfecto*	aurais causé, aurais causé, aurait causé; aurions causé, auriez causé, auraient causé	
Pret. Perf. *Subjuntivo*	aie causé, aies causé, ait causé; ayons causé, ayez causé, aient causé	
Pret. Plus. *Subjuntivo*	eusse causé, eusses causé, eût causé; eussions causé, eussiez causé, eussent causé	
Imperativo	cause, causons, causez	

Presente *Indicativo*	cède, cèdes, cède; cédons, cédez, cèdent
Pret. Imp. *Indicativo*	cédais, cédais, cédait; cédions, cédiez, cédaient
Pret. Indef. *Indicativo*	cédai, cédas, céda; cédâmes, cédâtes, cédèrent
Fut. Imp. *Indicativo*	céderai, céderas, cédera; céderons, céderez, céderont
Potencial *Simple*	céderais, céderais, céderait; céderions, céderiez, céderaient
Presente *Subjuntivo*	cède, cèdes, cède; cédions, cédiez, cèdent
Pret. Imp. *Subjuntivo*	cédasse, cédasses, cédât; cédassions, cédassiez, cédassent
Pret. Perf. *Indicativo*	ai cédé, as cédé, a cédé; avons cédé, avez cédé, ont cédé
Pret. Plus. *Indicativo*	avais cédé, avais cédé, avait cédé; avions cédé, aviez cédé, avaient cédé
Pretérito *Anterior*	eus cédé, eus cédé, eut cédé; eûmes cédé, eûtes cédé, eurent cédé
Fut. Perf. *Indicativo*	aurai cédé, auras cédé, aura cédé; aurons cédé, aurez cédé, auront cédé
Potencial *Perfecto*	aurais cédé, aurais cédé, aurait cédé; aurions cédé, auriez cédé, auraient cédé
Pret. Perf. *Subjuntivo*	aie cédé, aies cédé, ait cédé; ayons cédé, ayez cédé, aient cédé
Pret. Plus. *Subjuntivo*	eusse cédé, eusses cédé, eût cédé; eussions cédé, eussiez cédé, eussent cédé
Imperativo	cède, cédons, cédez

ceder

Presente *Indicativo*	change, changes, change; changeons, changez, changent

cambiar

Pret. Imp. *Indicativo*	changeais, changeais, changeait; changions, changiez, changeaient
Pret. Indef. *Indicativo*	changeai, changeas, changea; changeâmes, changeâtes, changèrent
Fut. Imp. *Indicativo*	changerai, changeras, changera; changerons, changerez, changeront
Potencial *Simple*	changerais, changerais, changerait; changerions, changeriez, changeraient
Presente *Subjuntivo*	change, changes, change; changions, changiez, changent
Pret. Imp. *Subjuntivo*	changeasse, changeasses, changeât; changeassions, changeassiez, changeassent
Pret. Perf. *Indicativo*	ai changé, as changé, a changé; avons changé, avez changé, ont changé
Pret. Plus. *Indicativo*	avais changé, avais changé, avait changé; avions changé, aviez changé, avaient changé
Pretérito *Anterior*	eus changé, eus changé, eut changé; eûmes changé, eûtes changé, eurent changé
Fut. Perf. *Indicativo*	aurai changé, auras changé, aura changé; aurons changé, aurez changé, auront changé
Potencial *Perfecto*	aurais changé, aurais changé, aurait changé; aurions changé, auriez changé, auraient changé
Pret. Perf. *Subjuntivo*	aie changé, aies changé, ait changé; ayons changé, ayez changé, aient changé
Pret. Plus. *Subjuntivo*	eusse changé, eusses changé, eût changé; eussions changé, eussiez changé, eussent changé
Imperativo	change, changeons, changez

Presente *Indicativo*	chante, chantes, chante; chantons, chantez, chantent
Pret. Imp. *Indicativo*	chantais, chantais, chantait; chantions, chantiez, chantaient
Pret. Indef. *Indicativo*	chantai, chantas, chanta; chantâmes, chantâtes, chantèrent
Fut. Imp. *Indicativo*	chanterai, chanteras, chantera; chanterons, chanterez, chanteront
Potencial *Simple*	chanterais, chanterais, chanterait; chanterions, chanteriez, chanteraient
Presente *Subjuntivo*	chante, chantes, chante; chantions, chantiez, chantent
Pret. Imp. *Subjuntivo*	chantasse, chantasses, chantât; chantassions, chantassiez, chantassent
Pret. Perf. *Indicativo*	ai chanté, as chanté, a chanté; avons chanté, avez chanté, ont chanté
Pret. Plus. *Indicativo*	avais chanté, avais chanté, avait chanté; avions chanté, aviez chanté, avaient chanté
Pretérito *Anterior*	eus chanté, eus chanté, eut chanté; eûmes chanté, eûtes chanté, eurent chanté
Fut. Perf. *Indicativo*	aurai chanté, auras chanté, aura chanté; aurons chanté, aurez chanté, auront chanté
Potencial *Perfecto*	aurais chanté, aurais chanté, aurait chanté; aurions chanté, auriez chanté, auraient chanté
Pret. Perf. *Subjuntivo*	aie chanté, aies chanté, ait chanté; ayons chanté, ayez chanté, aient chanté
Pret. Plus. *Subjuntivo*	eusse chanté, eusses chanté, eût chanté; eussions chanté, eussiez chanté, eussent chanté
Imperativo	chante, chantons, chantez

cantar

Presente	cherche, cherches, cherche;	
Indicativo	cherchons, cherchez, cherchent	*buscar*
Pret. Imp.	cherchais, cherchais, cherchait;	
Indicativo	cherchions, cherchiez, cherchaient	
Pret. Indef.	cherchai, cherchas, chercha;	
Indicativo	cherchâmes, cherchâtes, cherchèrent	
Fut. Imp.	chercherai, chercheras, cherchera;	
Indicativo	chercherons, chercherez, chercheront	
Potencial	chercherais, chercherais, chercherait;	
Simple	chercherions, chercheriez, chercheraient	
Presente	cherche, cherches, cherche;	
Subjuntivo	cherchions, cherchiez, cherchent	
Pret. Imp.	cherchasse, cherchasses, cherchât;	
Subjuntivo	cherchassions, cherchassiez, cherchassent	
Pret. Perf.	ai cherché, as cherché, a cherché;	
Indicativo	avons cherché, avez cherché, ont cherché	
Pret. Plus.	avais cherché, avais cherché, avait cherché;	
Indicativo	avions cherché, aviez cherché, avaient cherché	
Pretérito	eus cherché, eus cherché, eut cherché;	
Anterior	eûmes cherché, eûtes cherché, eurent cherché	
Fut. Perf.	aurai cherché, auras cherché, aura cherché;	
Indicativo	aurons cherché, aurez cherché, auront cherché	
Potencial	aurais cherché, aurais cherché, aurait cherché;	
Perfecto	aurions cherché, auriez cherché, auraient cherché	
Pret. Perf.	aie cherché, aies cherché, ait cherché;	
Subjuntivo	ayons cherché, ayez cherché, aient cherché	
Pret. Plus.	eusse cherché, eusses cherché, eût cherché;	
Subjuntivo	eussions cherché, eussiez cherché, eussent cherché	
Imperativo	cherche, cherchons, cherchez	

chérir

Presente *Indicativo*	chéris, chéris, chérit; chérissons, chérissez, chérissent
Pret. Imp. *Indicativo*	chérissais, chérissais, chérissait; chérissions, chérissiez, chérissaient
Pret. Indef. *Indicativo*	chéris, chéris, chérit; chérîmes, chérîtes, chérirent
Fut. Imp. *Indicativo*	chérirai, chériras, chérira; chérirons, chérirez, chériront
Potencial *Simple*	chérirais, chérirais, chérirait; chéririons, chéririez, chériraient
Presente *Subjuntivo*	chérisse, chérisses, chérisse; chérissions, chérissiez, chérissent
Pret. Imp. *Subjuntivo*	chérisse, chérisses, chérît; chérissions, chérissiez, chérissent
Pret. Perf. *Indicativo*	ai chéri, as chéri, a chéri; avons chéri, avez chéri, ont chéri
Pret. Plus. *Indicativo*	avais chéri, avais chéri, avait chéri; avions chéri, aviez chéri, avaient chéri
Pretérito *Anterior*	eus chéri, eus chéri, eut chéri; eûmes chéri, eûtes chéri, eurent chéri
Fut. Perf. *Indicativo*	aurai chéri, auras chéri, aura chéri; aurons chéri, aurez chéri, auront chéri
Potencial *Perfecto*	aurais chéri, aurais chéri, aurait chéri; aurions chéri, auriez chéri, auraient chéri
Pret. Perf. *Subjuntivo*	aie chéri, aies chéri, ait chéri; ayons chéri, ayez chéri, aient chéri
Pret. Plus. *Subjuntivo*	eusse chéri, eusses chéri, eût chéri; eussions chéri, eussiez chéri, eussent chéri
Imperativo	chéris, chérissons, chérissez

apreciar,
estimar,
querer,
amar,
acariciar

Presente *Indicativo*	choisis, choisis, choisit; choisissons, choisissez, choisissent	*buscar*
Pret. Imp. *Indicativo*	choisissais, choisissais, choisissait; choisissions, choisissiez, choisissaient	
Pret. Indef. *Indicativo*	choisis, choisis, choisit; choisîmes, choisîtes, choisirent	
Fut. Imp. *Indicativo*	choisirai, choisiras, choisira; choisirons, choisirez, choisiront	
Potencial *Simple*	choisirais, choisirais, choisirait; choisirions, choisiriez, choisiraient	
Presente *Subjuntivo*	choisisse, choisisses, choisisse; choisissions, choisissiez, choisissent	
Pret. Imp. *Subjuntivo*	choisisse, choisisses, choisît; choisissions, choisissiez, choisissent	
Pret. Perf. *Indicativo*	ai choisi, as choisi, a choisi; avons choisi, avez choisi, ont choisi	
Pret. Plus. *Indicativo*	avais choisi, avais choisi, avait choisi; avions choisi, aviez choisi, avaient choisi	
Pretérito *Anterior*	eus choisi, eus choisi, eut choisi; eûmes choisi, eûtes choisi, eurent choisi	
Fut. Perf. *Indicativo*	aurai choisi, auras choisi, aura choisi; aurons choisi, aurez choisi, auront choisi	
Potencial *Perfecto*	aurais choisi, aurais choisi, aurait choisi; aurions choisi, auriez choisi, auraient choisi	
Pret. Perf. *Subjuntivo*	aie choisi, aies choisi, ait choisi; ayons choisi, ayez choisi, aient choisi	
Pret. Plus. *Subjuntivo*	eusse choisi, eusses choisi, eût choisi; eussions choisi, eussiez choisi, eussent choisi	
Imperativo	choisis, choisissons, choisissez	

Presente *Indicativo*	commande, commandes, commande; commandons, commandez, commandent	*apreciar,*
Pret. Imp. *Indicativo*	commandais, commandais, commandait; commandions, commandiez, commandaient	*estimar,* *querer,*
Pret. Indef. *Indicativo*	commandai, commandas, commanda; commandâmes, commandâtes, commandèrent	*amar,* *acariciar*
Fut. Imp. *Indicativo*	commanderai, commanderas, commandera; commanderons, commanderez, commanderont	
Potencial *Simple*	commanderais, commanderais, commanderait; commanderions, commanderiez, commanderaient	
Presente *Subjuntivo*	commande, commandes, commande; commandions, commandiez, commandent	
Pret. Imp. *Subjuntivo*	commandasse, commandasses, commandât; commandassions, commandassiez, commandassent	
Pret. Perf. *Indicativo*	ai commandé, as commandé, a commandé; avons commandé, avez commandé, ont commandé	
Pret. Plus. *Indicativo*	avais commandé, avais commandé, avait commandé; avions commandé, aviez commandé, avaient commandé	
Pretérito *Anterior*	eus commandé, eus commandé, eut commandé; eûmes commandé, eûtes commandé, eurent commandé	
Fut. Perf. *Indicativo*	aurai commandé, auras commandé, aura commandé; aurons commandé, aurez commandé, auront commandé	
Potencial *Perfecto*	aurais commandé, aurais commandé, aurait commandé; aurions commandé, auriez commandé, auraient commandé	
Pret. Perf. *Subjuntivo*	aie commandé, aies commandé, ait commandé; ayons commandé, ayez commandé, aient commandé	
Pret. Plus. *Subjuntivo*	eusse commandé, eusses commandé, eût commandé; eussions commandé, eussiez commandé, eussent commandé	
Imperativo	commande, commandons, commandez	

Presente *Indicativo*	commence, commences, commence; commençons, commencez, commencent	*comenzar,*
Pret. Imp. *Indicativo*	commençais, commençais, commençait; commencions, commenciez, commençaient	*empezar,* *principiar*
Pret. Indef. *Indicativo*	commençai, commenças, commença; commençâmes, commençâtes, commencèrent	
Fut. Imp. *Indicativo*	commencerai, commenceras, commencera; commencerons, commencerez, commenceront	
Potencial *Simple*	commencerais, commencerais, commencerait; commencerions, commenceriez, commenceraient	
Presente *Subjuntivo*	commence, commences, commence; commencions, commenciez, commencent	
Pret. Imp. *Subjuntivo*	commençasse, commençasses, commençât; commençassions, commençassiez, commençassent	
Pret. Perf. *Indicativo*	ai commencé, as commencé, a commencé; avons commencé, avez commencé, ont commencé	
Pret. Plus. *Indicativo*	avais commencé, avais commencé, avait commencé; avions commencé, aviez commencé, avaient commencé	
Pretérito *Anterior*	eus commencé, eus commencé, eut commencé; eûmes commencé, eûtes commencé, eurent commencé	
Fut. Perf. *Indicativo*	aurai commencé, auras commencé, aura commencé; aurons commencé, aurez commencé, auront commencé	
Potencial *Perfecto*	aurais commencé, aurais commencé, aurait commencé; aurions commencé, auriez commencé, auraient commencé	
Pret. Perf. *Subjuntivo*	aie commencé, aies commencé, ait commencé; ayons commencé, ayez commencé, aient commencé	
Pret. Plus. *Subjuntivo*	eusse commencé, eusses commencé, eût commencé; eussions commencé, eussiez commencé, eussent commencé	
Imperativo	commence, commençons, commencez	

Presente *Indicativo*	comprends, comprends, comprend; comprenons, comprenez, comprennent
Pret. Imp. *Indicativo*	comprenais, comprenais, comprenait; comprenions, compreniez, comprenaient
Pret. Indef. *Indicativo*	compris, compris, comprit; comprîmes, comprîtes, comprirent
Fut. Imp. *Indicativo*	comprendrai, comprendras, comprendra; comprendrons, comprendrez, comprendront
Potencial *Simple*	comprendrais, comprendrais, comprendrait; comprendrions, comprendriez, comprendraient
Presente *Subjuntivo*	comprenne, comprennes, comprenne; comprenions, compreniez, comprennent
Pret. Imp. *Subjuntivo*	comprisse, comprisses, comprît; comprissions, comprissiez, comprissent
Pret. Perf. *Indicativo*	ai compris, as compris, a compris; avons compris, avez compris, ont compris
Pret. Plus. *Indicativo*	avais compris, avais compris, avait compris; avions compris, aviez compris, avaient compris
Pretérito *Anterior*	eus compris, eus compris, eut compris; eûmes compris, eûtes compris, eurent compris
Fut. Perf. *Indicativo*	aurai compris, auras compris, aura compris; aurons compris, aurez compris, auront compris
Potencial *Perfecto*	aurais compris, aurais compris, aurait compris; aurions compris, auriez compris, auraient compris
Pret. Perf. *Subjuntivo*	aie compris, aies compris, ait compris; ayons compris, ayez compris, aient compris
Pret. Plus. *Subjuntivo*	eusse compris, eusses compris, eût compris; eussions compris, eussiez compris, eussent compris
Imperativo	comprends, comprenons, comprenez

comprender,
entender

Presente *Indicativo*	compte, comptes, compte; comptons, comptez, comptent	*contar*
Pret. Imp. *Indicativo*	comptais, comptais, comptait; comptions, comptiez, comptaient	
Pret. Indef. *Indicativo*	comptai, comptas, compta; comptâmes, comptâtes, comptèrent	
Fut. Imp. *Indicativo*	compterai, compteras, comptera; compterons, compterez, compteront	
Potencial *Simple*	compterais, compterais, compterait; compterions, compteriez, compteraient	
Presente *Subjuntivo*	compte, comptes, compte; comptions, comptiez, comptent	
Pret. Imp. *Subjuntivo*	comptasse, comptasses, comptât; comptassions, comptassiez, comptassent	
Pret. Perf. *Indicativo*	ai compté, as compté, a compté; avons compté, avez compté, ont compté	
Pret. Plus. *Indicativo*	avais compté, avais compté, avait compté; avions compté, aviez compté, avaient compté	
Pretérito *Anterior*	eus compté, eus compté, eut compté; eûmes compté, eûtes compté, eurent compté	
Fut. Perf. *Indicativo*	aurai compté, auras compté, aura compté; aurons compté, aurez compté, auront compté	
Potencial *Perfecto*	aurais compté, aurais compté, aurait compté; aurions compté, auriez compté, auraient compté	
Pret. Perf. *Subjuntivo*	aie compté, aies compté, ait compté; ayons compté, ayez compté, aient compté	
Pret. Plus. *Subjuntivo*	eusse compté, eusses compté, eût compté; eussions compté, eussiez compté, eussent compté	
Imperativo	compte, comptons, comptez	

Presente	conclus, conclus, conclut;
Indicativo	concluons, concluez, concluent
Pret. Imp.	concluais, concluais, concluait;
Indicativo	concluions, concluiez, concluaient
Pret. Indef.	conclus, conclus, conclut;
Indicativo	conclûmes, conclûtes, conclurent
Fut. Imp.	conclurai, concluras, conclura;
Indicativo	conclurons, conclurez, concluront
Potencial	conclurais, conclurais, conclurait;
Simple	conclurions, concluriez, concluraient
Presente	conclue, conclues, conclue;
Subjuntivo	concluions, concluiez, concluent
Pret. Imp.	conclusse, conclusses, conclût;
Subjuntivo	conclussions, conclussiez, conclussent
Pret. Perf.	ai conclu, as conclu, a conclu;
Indicativo	avons conclu, avez conclu, ont conclu
Pret. Plus.	avais conclu, avais conclu, avait conclu;
Indicativo	avions conclu, aviez conclu, avaient conclu
Pretérito	eus conclu, eus conclu, eut conclu;
Anterior	eûmes conclu, eûtes conclu, eurent conclu
Fut. Perf.	aurai conclu, auras conclu, aura conclu;
Indicativo	aurons conclu, aurez conclu, auront conclu
Potencial	aurais conclu, aurais conclu, aurait conclu;
Perfecto	aurions conclu, auriez conclu, auraient conclu
Pret. Perf.	aie conclu, aies conclu, ait conclu;
Subjuntivo	ayons conclu, ayez conclu, aient conclu
Pret. Plus.	eusse conclu, eusses conclu, eût conclu;
Subjuntivo	eussions conclu, eussiez conclu, eussent conclu
Imperativo	conclus, concluons, concluez

concluir,
terminar

Presente *Indicativo*	conduis, conduis, conduit; conduisons, conduisez, conduisent
Pret. Imp. *Indicativo*	conduisais, conduisais, conduisait; conduisions, conduisiez, conduisaient
Pret. Indef. *Indicativo*	conduisis, conduisis, conduisit; conduisîmes, conduisîtes, conduisirent
Fut. Imp. *Indicativo*	conduirai, conduiras, conduira; conduirons, conduirez, conduiront
Potencial *Simple*	conduirais, conduirais, conduirait; conduirions, conduiriez, conduiraient
Presente *Subjuntivo*	conduise, conduises, conduise; conduisions, conduisiez, conduisent
Pret. Imp. *Subjuntivo*	conduisisse, conduisisses, conduisît; conduisissions, conduisissiez, conduisissent
Pret. Perf. *Indicativo*	ai conduit, as conduit, a conduit; avons conduit, avez conduit, ont conduit
Pret. Plus. *Indicativo*	avais conduit, avais conduit, avait conduit; avions conduit, aviez conduit, avaient conduit
Pretérito *Anterior*	eus conduit, eus conduit, eut conduit; eûmes conduit, eûtes conduit, eurent conduit
Fut. Perf. *Indicativo*	aurai conduit, auras conduit, aura conduit; aurons conduit, aurez conduit, auront conduit
Potencial *Perfecto*	aurais conduit, aurais conduit, aurait conduit; aurions conduit, auriez conduit, auraient conduit
Pret. Perf. *Subjuntivo*	aie conduit, aies conduit, ait conduit; ayons conduit, ayez conduit, aient conduit
Pret. Plus. *Subjuntivo*	eusse conduit, eusses conduit, eût conduit; eussions conduit, eussiez conduit, eussent conduit
Imperativo	conduis, conduisons, conduisez

conducir

Presente *Indicativo*	connais, connais, connaît; connaissons, connaissez, connaissent	*conocer*
Pret. Imp. *Indicativo*	connaissais, connaissais, connaissait; connaissions, connaissiez, connaissaient	
Pret. Indef. *Indicativo*	connus, connus, connut; connûmes, connûtes, connurent	
Fut. Imp. *Indicativo*	connaîtrai, connaîtras, connaîtra; connaîtrons, connaîtrez, connaîtront	
Potencial *Simple*	connaîtrais, connaîtrais, connaîtrait; connaîtrions, connaîtriez, connaîtraient	
Presente *Subjuntivo*	connaisse, connaisses, connaisse; connaissions, connaissiez, connaissent	
Pret. Imp. *Subjuntivo*	connusse, connusses, connût; connussions, connussiez, connussent	
Pret. Perf. *Indicativo*	ai connu, as connu, a connu; avons connu, avez connu, ont connu	
Pret. Plus. *Indicativo*	avais connu, avais connu, avait connu; avions connu, aviez connu, avaient connu	
Pretérito *Anterior*	eus connu, eus connu, eut connu; eûmes connu, eûtes connu, eurent connu	
Fut. Perf. *Indicativo*	aurai connu, auras connu, aura connu; aurons connu, aurez connu, auront connu	
Potencial *Perfecto*	aurais connu, aurais connu, aurait connu; aurions connu, auriez connu, auraient connu	
Pret. Perf. *Subjuntivo*	aie connu, aies connu, ait connu; ayons connu, ayez connu, aient connu	
Pret. Plus. *Subjuntivo*	eusse connu, eusses connu, eût connu; eussions connu, eussiez connu, eussent connu	
Imperativo	connais, connaissons, connaissez	

Presente *Indicativo*	construis, construis, construit; construisons, construisez, construisent
Pret. Imp. *Indicativo*	construisais, construisais, construisait; construisions, construisiez, construisaient
Pret. Indef. *Indicativo*	construisis, construisis, construisit; construisîmes, construisîtes, construisirent
Fut. Imp. *Indicativo*	construirai, construiras, construira; construirons, construirez, construiront
Potencial *Simple*	construirais, construirais, construirait; construirions, construiriez, construiraient
Presente *Subjuntivo*	construise, construises, construise; construisions, construisiez, construisent
Pret. Imp. *Subjuntivo*	construisisse, construisisses, construisît; construisissions, construisissiez, construisissent
Pret. Perf. *Indicativo*	ai construit, as construit, a construit; avons construit, avez construit, ont construit
Pret. Plus. *Indicativo*	avais construit, avais construit, avait construit; avions construit, aviez construit, avaient construit
Pretérito *Anterior*	eus construit, eus construit, eut construit; eûmes construit, eûtes construit, eurent construit
Fut. Perf. *Indicativo*	aurai construit, auras construit, aura construit; aurons construit, aurez construit, auront construit
Potencial *Perfecto*	aurais construit, aurais construit, aurait construit; aurions construit, auriez construit, auraient construit
Pret. Perf. *Subjuntivo*	aie construit, aies construit, ait construit; ayons construit, ayez construit, aient construit
Pret. Plus. *Subjuntivo*	eusse construit, eusses construit, eût construit; eussions construit, eussiez construit, eussent construit
Imperativo	construis, construisons, construisez

construir

Presente *Indicativo*	corrige, corriges, corrige; corrigeons, corrigez, corrigent	*corregir*
Pret. Imp. *Indicativo*	corrigeais, corrigeais, corrigeait; corrigions, corrigiez, corrigeaient	
Pret. Indef. *Indicativo*	corrigeai, corrigeas, corrigea; corrigeâmes, corrigeâtes, corrigèrent	
Fut. Imp. *Indicativo*	corrigerai, corrigeras, corrigera; corrigerons, corrigerez, corrigeront	
Potencial *Simple*	corrigerais, corrigerais, corrigerait; corrigerions, corrigeriez, corrigeraient	
Presente *Subjuntivo*	corrige, corriges, corrige; corrigions, corrigiez, corrigent	
Pret. Imp. *Subjuntivo*	corrigeasse, corrigeasses, corrigeât; corrigeassions, corrigeassiez, corrigeassent	
Pret. Perf. *Indicativo*	ai corrigé, as corrigé, a corrigé; avons corrigé, avez corrigé, ont corrigé	
Pret. Plus. *Indicativo*	avais corrigé, avais corrigé, avait corrigé; avions corrigé, aviez corrigé, avaient corrigé	
Pretérito *Anterior*	eus corrigé, eus corrigé, eut corrigé; eûmes corrigé, eûtes corrigé, eurent corrigé	
Fut. Perf. *Indicativo*	aurai corrigé, auras corrigé, aura corrigé; aurons corrigé, aurez corrigé, auront corrigé	
Potencial *Perfecto*	aurais corrigé, aurais corrigé, aurait corrigé; aurions corrigé, auriez corrigé, auraient corrigé	
Pret. Perf. *Subjuntivo*	aie corrigé, aies corrigé, ait corrigé; ayons corrigé, ayez corrigé, aient corrigé	
Pret. Plus. *Subjuntivo*	eusse corrigé, eusses corrigé, eût corrigé; eussions corrigé, eussiez corrigé, eussent corrigé	
Imperativo	corrige, corrigeons, corrigez	

Presente	me couche, te couches, se couche;
Indicativo	nous couchons, vous couchez, se couchent

acostarse,
ponerse (el sol)

Pret. Imp.	me couchais, te couchais, se couchait;
Indicativo	nous couchions, vous couchiez, se couchaient
Pret. Indef.	me couchai, te couchas, se coucha;
Indicativo	nous couchâmes, vous couchâtes, se couchèrent
Fut. Imp.	me coucherai, te coucheras, se couchera;
Indicativo	nous coucherons, vous coucherez, se coucheront
Potencial	me coucherais, te coucherais, se coucherait;
Simple	nous coucherions, vous coucheriez, se coucheraient
Presente	me couche, te couches, se couche;
Subjuntivo	nous couchions, vous couchiez, se couchent
Pret. Imp.	me couchasse, te couchasses, se couchât;
Subjuntivo	nous couchassions, vous couchassiez, se couchassent
Pret. Perf.	me suis couché(e), t'es couché(e), s'est couché(e);
Indicativo	nous sommes couché(e)s, vous êtes couché(e)(s), se sont couché(e)s
Pret. Plus.	m'étais couché(e), t'étais couché(e), s'était couché(e);
Indicativo	nous étions couché(e)s, vous étiez couché(e)(s), s'étaient couché(e)s
Pretérito	me fus couché(e), te fus couché(e), se fut couché(e);
Anterior	nous fûmes couché(e)s, vous fûtes couché(e)(s), se furent couché(e)s
Fut. Perf.	me serai couché(e), te seras couché(e), se sera couché(e);
Indicativo	nous serons couché(e)s, vous serez couché(e)(s), se seront couché(e)s
Potencial	me serais couché(e), te serais couché(e), se serait couché(e);
Perfecto	nous serions couché(e)s, vous seriez couché(e)(s), se seraient couché(e)s
Pret. Perf.	me sois couché(e), te sois couché(e), se soit couché(e);
Subjuntivo	nous soyons couché(e)s, vous soyez couché(e)(s), se soient couché(e)s
Pret. Plus.	me fusse couché(e), te fusses couché(e), se fût couché(e);
Subjuntivo	nous fussions couché(e)s, vous fussiez couché(e)(s), se fussent couché(e)s
Imperativo	couche-toi, couchons-nous, couchez-vous

coser

Presente *Indicativo*	couds, couds, coud; cousons, cousez, cousent
Pret. Imp. *Indicativo*	cousais, cousais, cousait; cousions, cousiez, cousaient
Pret. Indef. *Indicativo*	cousis, cousis, cousit; cousîmes, cousîtes, cousirent
Fut. Imp. *Indicativo*	coudrai, coudras, coudra; coudrons, coudrez, coudront
Potencial *Simple*	coudrais, coudrais, coudrait; coudrions, coudriez, coudraient
Presente *Subjuntivo*	couse, couses, couse; cousions, cousiez, cousent
Pret. Imp. *Subjuntivo*	cousisse, cousisses, cousît; cousissions, cousissiez, cousissent
Pret. Perf. *Indicativo*	ai cousu, as cousu, a cousu; avons cousu, avez cousu, ont cousu
Pret. Plus. *Indicativo*	avais cousu, avais cousu, avait cousu; avions cousu, aviez cousu, avaient cousu
Pretérito *Anterior*	eus cousu, eus cousu, eut cousu; eûmes cousu, eûtes cousu, eurent cousu
Fut. Perf. *Indicativo*	aurai cousu, auras cousu, aura cousu; aurons cousu, aurez cousu, auront cousu
Potencial *Perfecto*	aurais cousu, aurais cousu, aurait cousu; aurions cousu, auriez cousu, auraient cousu
Pret. Perf. *Subjuntivo*	aie cousu, aies cousu, ait cousu; ayons cousu, ayez cousu, aient cousu
Pret. Plus. *Subjuntivo*	eusse cousu, eusses cousu, eût cousu; eussions cousu, eussiez cousu, eussent cousu
Imperativo	couds, cousons, cousez

correr

Presente *Indicativo*	cours, cours, court; courons, courez, courent
Pret. Imp. *Indicativo*	courais, courais, courait; courions, couriez, couraient
Pret. Indef. *Indicativo*	courus, courus, courut; courûmes, courûtes, coururent
Fut. Imp. *Indicativo*	courrai, courras, courra; courrons, courrez, courront
Potencial *Simple*	courrais, courrais, courrait; courrions, courriez, courraient
Presente *Subjuntivo*	coure, coures, coure; courions, couriez, courent
Pret. Imp. *Subjuntivo*	courusse, courusses, courût; courussions, courussiez, courussent
Pret. Perf. *Indicativo*	ai couru, as couru, a couru; avons couru, avez couru, ont couru
Pret. Plus. *Indicativo*	avais couru, avais couru, avait couru; avions couru, aviez couru, avaient couru
Pretérito *Anterior*	eus couru, eus couru, eut couru; eûmes couru, eûtes couru, eurent couru
Fut. Perf. *Indicativo*	aurai couru, auras couru, aura couru; aurons couru, aurez couru, auront couru
Potencial *Perfecto*	aurais couru, aurais couru, aurait couru; aurions couru, auriez couru, auraient couru
Pret. Perf. *Subjuntivo*	aie couru, aies couru, ait couru; ayons couru, ayez couru, aient couru
Pret. Plus. *Subjuntivo*	eusse couru, eusses couru, eût couru; eussions couru, eussiez couru, eussent couru
Imperativo	cours, courons, courez

Presente *Indicativo*	il (elle) coûte ils (elles) coûtent	*costar*
Pret. Imp. *Indicativo*	il (elle) coûtait ils (elles) coûtaient	
Pret. Indef. *Indicativo*	il (elle) coûta ils (elles) coûtèrent	
Fut. Imp. *Indicativo*	il (elle) coûtera ils (elles) coûteront	
Potencial *Simple*	il (elle) coûterait ils (elles) coûteraient	
Presente *Subjuntivo*	qu'il (elle) coûte qu'ils (elles) coûtent	
Pret. Imp. *Subjuntivo*	qu'il (elle) coûtât qu'ils (elles) coûtassent	
Pret. Perf. *Indicativo*	il (elle) a coûté ils (elles) ont coûté	
Pret. Plus. *Indicativo*	il (elle) avait coûté ils (elles) avaient coûté	
Pretérito *Anterior*	il (elle) eut coûté ils (elles) eurent coûté	
Fut. Perf. *Indicativo*	il (elle) aura coûté ils (elles) auront coûté	
Potencial *Perfecto*	il (elle) aurait coûté ils (elles) auraient coûté	
Pret. Perf. *Subjuntivo*	qu'il (elle) ait coûté qu'ils (elles) aient coûté	
Pret. Plus. *Subjuntivo*	qu'il (elle) eût coûté qu'ils (elles) eussent coûté	
Imperativo	[no se emplea]	

couvrir

cubrir,
tapar

Presente *Indicativo*	couvre, couvres, couvre; couvrons, couvrez, couvrent
Pret. Imp. *Indicativo*	couvrais, couvrais, couvrait; couvrions, couvriez, couvraient
Pret. Indef. *Indicativo*	couvris, couvris, couvrit; couvrîmes, couvrîtes, couvrirent
Fut. Imp. *Indicativo*	couvrirai, couvriras, couvrira; couvrirons, couvrirez, couvriront
Potencial *Simple*	couvrirais, couvrirais, couvrirait; couvririons, couvririez, couvriraient
Presente *Subjuntivo*	couvre, couvres, couvre; couvrions, couvriez, couvrent
Pret. Imp. *Subjuntivo*	couvrisse, couvrisses, couvrît; couvrissions, couvrissiez, couvrissent
Pret. Perf. *Indicativo*	ai couvert, as couvert, a couvert; avons couvert, avez couvert, ont couvert
Pret. Plus. *Indicativo*	avais couvert, avais couvert, avait couvert; avions couvert, aviez couvert, avaient couvert
Pretérito *Anterior*	eus couvert, eus couvert, eut couvert; eûmes couvert, eûtes couvert, eurent couvert
Fut. Perf. *Indicativo*	aurai couvert, auras couvert, aura couvert; aurons couvert, aurez couvert, auront couvert
Potencial *Perfecto*	aurais couvert, aurais couvert, aurait couvert; aurions couvert, auriez couvert, auraient couvert
Pret. Perf. *Subjuntivo*	aie couvert, aies couvert, ait couvert; ayons couvert, ayez couvert, aient couvert
Pret. Plus. *Subjuntivo*	eusse couvert, eusses couvert, eût couvert; eussions couvert, eussiez couvert, eussent couvert
Imperativo	couvre, couvrons, couvrez

60

Presente	crains, crains, craint;	
Indicativo	craignons, craignez, craignent	*temer*
Pret. Imp.	craignais, craignais, craignait;	
Indicativo	craignions, craigniez, craignaient	
Pret. Indef.	craignis, craignis, craignit;	
Indicativo	craignîmes, craignîtes, craignirent	
Fut. Imp.	craindrai, craindras, craindra;	
Indicativo	craindrons, craindrez, craindront	
Potencial	craindrais, craindrais, craindrait;	
Simple	craindrions, craindriez, craindraient	
Presente	craigne, craignes, craigne;	
Subjuntivo	craignions, craigniez, craignent	
Pret. Imp.	craignisse, craignisses, craignît;	
Subjuntivo	craignissions, craignissiez, craignissent	
Pret. Perf.	ai craint, as craint, a craint;	
Indicativo	avons craint, avez craint, ont craint	
Pret. Plus.	avais craint, avais craint, avait craint;	
Indicativo	avions craint, aviez craint, avaient craint	
Pretérito	eus craint, eus craint, eut craint;	
Anterior	eûmes craint, eûtes craint, eurent craint	
Fut. Perf.	aurai craint, auras craint, aura craint;	
Indicativo	aurons craint, aurez craint, auront craint	
Potencial	aurais craint, aurais craint, aurait craint;	
Perfecto	aurions craint, auriez craint, auraient craint	
Pret. Perf.	aie craint, aies craint, ait craint;	
Subjuntivo	ayons craint, ayez craint, aient craint	
Pret. Plus.	eusse craint, eusses craint, eût craint;	
Subjuntivo	eussions craint, eussiez craint, eussent craint	
Imperativo	crains, craignons, craignez	

creer

Presente *Indicativo*	crois, crois, croit; croyons, croyez, croient
Pret. Imp. *Indicativo*	croyais, croyais, croyait; croyions, croyiez, croyaient
Pret. Indef. *Indicativo*	crus, crus, crut; crûmes, crûtes, crurent
Fut. Imp. *Indicativo*	croirai, croiras, croira; croirons, croirez, croiront
Potencial *Simple*	croirais, croirais, croirait; croirions, croiriez, croiraient
Presente *Subjuntivo*	croie, croies, croie; croyions, croyiez, croient
Pret. Imp. *Subjuntivo*	crusse, crusses, crût; crussions, crussiez, crussent
Pret. Perf. *Indicativo*	ai cru, as cru, a cru; avons cru, avez cru, ont cru
Pret. Plus. *Indicativo*	avais cru, avais cru, avait cru; avions cru, aviez cru, avaient cru
Pretérito *Anterior*	eus cru, eus cru, eut cru; eûmes cru, eûtes cru, eurent cru
Fut. Perf. *Indicativo*	aurai cru, auras cru, aura cru; aurons cru, aurez cru, auront cru
Potencial *Perfecto*	aurais cru, aurais cru, aurait cru; aurions cru, auriez cru, auraient cru
Pret. Perf. *Subjuntivo*	aie cru, aies cru, ait cru; ayons cru, ayez cru, aient cru
Pret. Plus. *Subjuntivo*	eusse cru, eusses cru, eût cru; eussions cru, eussiez cru, eussent cru
Imperativo	crois, croyons, croyez

Presente *Indicativo*	croîs, croîs, croît; croissons, croissez, croissent	*crecer*
Pret. Imp. *Indicativo*	croissais, croissais, croissait; croissions, croissiez, croissaient	
Pret. Indef. *Indicativo*	crûs, crûs, crût; crûmes, crûtes, crûrent	
Fut. Imp. *Indicativo*	croîtrai, croîtras, croîtra; croîtrons, croîtrez, croîtront	
Potencial *Simple*	croîtrais, croîtrais, croîtrait; croîtrions, croîtriez, croîtraient	
Presente *Subjuntivo*	croisse, croisses, croisse; croissions, croissiez, croissent	
Pret. Imp. *Subjuntivo*	crûsse, crûsses, crût; crûssions, crûssiez, crûssent	
Pret. Perf. *Indicativo*	ai crû, as crû, a crû; avons crû, avez crû, ont crû	
Pret. Plus. *Indicativo*	avais crû, avais crû, avait crû; avions crû, aviez crû, avaient crû	
Pretérito *Anterior*	eus crû, eus crû, eut crû; eûmes crû, eûtes crû, eurent crû	
Fut. Perf. *Indicativo*	aurai crû, auras crû, aura crû; aurons crû, aurez crû, auront crû	
Potencial *Perfecto*	aurais crû, aurais crû, aurait crû; aurions crû, auriez crû, auraient crû	
Pret. Perf. *Subjuntivo*	aie crû, aies crû, ait crû; ayons crû, ayez crû, aient crû	
Pret. Plus. *Subjuntivo*	eusse crû, eusses crû, eût crû; eussions crû, eussiez crû, eussent crû	
Imperativo	croîs, croissons, croissez	

Presente	cueille, cueilles, cueille;
Indicativo	cueillons, cueillez, cueillent
Pret. Imp.	cueillais, cueillais, cueillait;
Indicativo	cueillions, cueilliez, cueillaient
Pret. Indef.	cueillis, cueillis, cueillit;
Indicativo	cueillîmes, cueillîtes, cueillirent
Fut. Imp.	cueillerai, cueilleras, cueillera;
Indicativo	cueillerons, cueillerez, cueilleront
Potencial	cueillerais, cueillerais, cueillerait;
Simple	cueillerions, cueilleriez, cueilleraient
Presente	cueille, cueilles, cueille;
Subjuntivo	cueillions, cueilliez, cueillent
Pret. Imp.	cueillisse, cueillisses, cueillît;
Subjuntivo	cueillissions, cueillissiez, cueillissent
Pret. Perf.	ai cueilli, as cueilli, a cueilli;
Indicativo	avons cueilli, avez cueilli, ont cueilli
Pret. Plus.	avais cueilli, avais cueilli, avait cueilli;
Indicativo	avions cueilli, aviez cueilli, avaient cueilli
Pretérito	eus cueilli, eus cueilli, eut cueilli;
Anterior	eûmes cueilli, eûtes cueilli, eurent cueilli
Fut. Perf.	aurai cueilli, auras cueilli, aura cueilli;
Indicativo	aurons cueilli, aurez cueilli, auront cueilli
Potencial	aurais cueilli, aurais cueilli, aurait cueilli;
Perfecto	aurions cueilli, auriez cueilli, auraient cueilli
Pret. Perf.	aie cueilli, aies cueilli, ait cueilli;
Subjuntivo	ayons cueilli, ayez cueilli, aient cueilli
Pret. Plus.	eusse cueilli, eusses cueilli, eût cueilli;
Subjuntivo	eussions cueilli, eussiez cueilli, eussent cueilli
Imperativo	cueille, cueillons, cueillez

*coger,
recoger*

Presente Indicativo	cuis, cuis, cuit; cuisons, cuisez, cuisent
Pret. Imp. Indicativo	cuisais, cuisais, cuisait; cuisions, cuisiez, cuisaient
Pret. Indef. Indicativo	cuisis, cuisis, cuisit; cuisîmes, cuisîtes, cuisirent
Fut. Imp. Indicativo	cuirai, cuiras, cuira; cuirons, cuirez, cuiront
Potencial Simple	cuirais, cuirais, cuirait; cuirions, cuiriez, cuiraient
Presente Subjuntivo	cuise, cuises, cuise; cuisions, cuisiez, cuisent
Pret. Imp. Subjuntivo	cuisisse, cuisisses, cuisît; cuisissions, cuisissiez, cuisissent
Pret. Perf. Indicativo	ai cuit, as cuit, a cuit; avons cuit, avez cuit, ont cuit
Pret. Plus. Indicativo	avais cuit, avais cuit, avait cuit; avions cuit, aviez cuit, avaient cuit
Pretérito Anterior	eus cuit, eus cuit, eut cuit; eûmes cuit, eûtes cuit, eurent cuit
Fut. Perf. Indicativo	aurai cuit, auras cuit, aura cuit; aurons cuit, aurez cuit, auront cuit
Potencial Perfecto	aurais cuit, aurais cuit, aurait cuit; aurions cuit, auriez cuit, auraient cuit
Pret. Perf. Subjuntivo	aie cuit, aies cuit, ait cuit; ayons cuit, ayez cuit, aient cuit
Pret. Plus. Subjuntivo	eusse cuit, eusses cuit, eût cuit; eussions cuit, eussiez cuit, eussent cuit
Imperativo	cuis, cuisons, cuisez

guisar,
cocer al fuego

Presente Indicativo	danse, danses, danse; dansons, dansez, dansent	*bailar*
Pret. Imp. Indicativo	dansais, dansais, dansait; dansions, dansiez, dansaient	
Pret. Indef. Indicativo	dansai, dansas, dansa; dansâmes, dansâtes, dansèrent	
Fut. Imp. Indicativo	danserai, danseras, dansera; danserons, danserez, danseront	
Potencial Simple	danserais, danserais, danserait; danserions, danseriez, danseraient	
Presente Subjuntivo	danse, danses, danse; dansions, dansiez, dansent	
Pret. Imp. Subjuntivo	dansasse, dansasses, dansât; dansassions, dansassiez, dansassent	
Pret. Perf. Indicativo	ai dansé, as dansé, a dansé; avons dansé, avez dansé, ont dansé	
Pret. Plus. Indicativo	avais dansé, avais dansé, avait dansé; avions dansé, aviez dansé, avaient dansé	
Pretérito Anterior	eus dansé, eus dansé, eut dansé; eûmes dansé, eûtes dansé, eurent dansé	
Fut. Perf. Indicativo	aurai dansé, auras dansé, aura dansé; aurons dansé, aurez dansé, auront dansé	
Potencial Perfecto	aurais dansé, aurais dansé, aurait dansé; aurions dansé, auriez dansé, auraient dansé	
Pret. Perf. Subjuntivo	aie dansé, aies dansé, ait dansé; ayons dansé, ayez dansé, aient dansé	
Pret. Plus. Subjuntivo	eusse dansé, eusses dansé, eût dansé; eussions dansé, eussiez dansé, eussent dansé	
Imperativo	danse, dansons, dansez	

Presente *Indicativo*	déjeune, déjeunes, déjeune; déjeunons, déjeunez, déjeunent
Pret. Imp. *Indicativo*	déjeunais, déjeunais, déjeunait; déjeunions, déjeuniez, déjeunaient
Pret. Indef. *Indicativo*	déjeunai, déjeunas, déjeuna; déjeunâmes, déjeunâtes, déjeunèrent
Fut. Imp. *Indicativo*	déjeunerai, déjeuneras, déjeunera; déjeunerons, déjeunerez, déjeuneront
Potencial *Simple*	déjeunerais, déjeunerais, déjeunerait; déjeunerions, déjeuneriez, déjeuneraient
Presente *Subjuntivo*	déjeune, déjeunes, déjeune; déjeunions, déjeuniez, déjeunent
Pret. Imp. *Subjuntivo*	déjeunasse, déjeunasses, déjeunât; déjeunassions, déjeunassiez, déjeunassent
Pret. Perf. *Indicativo*	ai déjeuné, as déjeuné, a déjeuné; avons déjeuné, avez déjeuné, ont déjeuné
Pret. Plus. *Indicativo*	avais déjeuné, avais déjeuné, avait déjeuné; avions déjeuné, aviez déjeuné, avaient déjeuné
Pretérito *Anterior*	eus déjeuné, eus déjeuné, eut déjeuné; eûmes déjeuné, eûtes déjeuné, eurent déjeuné
Fut. Perf. *Indicativo*	aurai déjeuné, auras déjeuné, aura déjeuné; aurons déjeuné, aurez déjeuné, auront déjeuné
Potencial *Perfecto*	aurais déjeuné, aurais déjeuné, aurait déjeuné; aurions déjeuné, auriez déjeuné, auraient déjeuné
Pret. Perf. *Subjuntivo*	aie déjeuné, aies déjeuné, ait déjeuné; ayons déjeuné, ayez déjeuné, aient déjeuné
Pret. Plus. *Subjuntivo*	eusse déjeuné, eusses déjeuné, eût déjeuné; eussions déjeuné, eussiez déjeuné, eussent déjeuné
Imperativo	déjeune, déjeunons, déjeunez

almorzar

Presente *Indicativo*	demande, demandes, demande; demandons, demandez, demandent	*pedir,*
Pret. Imp. *Indicativo*	demandais, demandais, demandait; demandions, demandiez, demandaient	*rogar*
Pret. Indef. *Indicativo*	demandai, demandas, demanda; demandâmes, demandâtes, demandèrent	
Fut. Imp. *Indicativo*	demanderai, demanderas, demandera; demanderons, demanderez, demanderont	
Potencial *Simple*	demanderais, demanderais, demanderait; demanderions, demanderiez, demanderaient	
Presente *Subjuntivo*	demande, demandes, demande; demandions, demandiez, demandent	
Pret. Imp. *Subjuntivo*	demandasse, demandasses, demandât; demandassions, demandassiez, demandassent	
Pret. Perf. *Indicativo*	ai demandé, as demandé, a demandé; avons demandé, avez demandé, ont demandé	
Pret. Plus. *Indicativo*	avais demandé, avais demandé, avait demandé; avions demandé, aviez demandé, avaient demandé	
Pretérito *Anterior*	eus demandé, eus demandé, eut demandé; eûmes demandé, eûtes demandé, eurent demandé	
Fut. Perf. *Indicativo*	aurai demandé, auras demandé, aura demandé; aurons demandé, aurez demandé, auront demandé	
Potencial *Perfecto*	aurais demandé, aurais demandé, aurait demandé; aurions demandé, auriez demandé, auraient demandé	
Pret. Perf. *Subjuntivo*	aie demandé, aies demandé, ait demandé; ayons demandé, ayez demandé, aient demandé	
Pret. Plus. *Subjuntivo*	eusse demandé, eusses demandé, eût demandé; eussions demandé, eussiez demandé, eussent demandé	
Imperativo	demande, demandons, demandez	

Presente *Indicativo*	demeure, demeures, demeure; demeurons, demeurez, demeurent
Pret. Imp. *Indicativo*	demeurais, demeurais, demeurait; demeurions, demeuriez, demeuraient
Pret. Indef. *Indicativo*	demeurai, demeuras, demeura; demeurâmes, demeurâtes, demeurèrent
Fut. Imp. *Indicativo*	demeurerai, demeureras, demeurera; demeurerons, demeurerez, demeureront
Potencial *Simple*	demeurerais, demeurerais, demeurerait; demeurerions, demeureriez, demeureraient
Presente *Subjuntivo*	demeure, demeures, demeure; demeurions, demeuriez, demeurent
Pret. Imp. *Subjuntivo*	demeurasse, demeurasses, demeurât; demeurassions, demeurassiez, demeurassent
Pret. Perf. *Indicativo*	ai demeuré, as demeuré, a demeuré; avons demeuré, avez demeuré, ont demeuré
Pret. Plus. *Indicativo*	avais demeuré, avais demeuré, avait demeuré; avions demeuré, aviez demeuré, avaient demeuré
Pretérito *Anterior*	eus demeuré, eus demeuré, eut demeuré; eûmes demeuré, eûtes demeuré, eurent demeuré
Fut. Perf. *Indicativo*	aurai demeuré, auras demeuré, aura demeuré; aurons demeuré, aurez demeuré, auront demeuré
Potencial *Perfecto*	aurais demeuré, aurais demeuré, aurait demeuré; aurions demeuré, auriez demeuré, auraient demeuré
Pret. Perf. *Subjuntivo*	aie demeuré, aies demeuré, ait demeuré; ayons demeuré, ayez demeuré, aient demeuré
Pret. Plus. *Subjuntivo*	eusse demeuré, eusses demeuré, eût demeuré; eussions demeuré, eussiez demeuré, eussent demeuré
Imperativo	demeure, demeurons, demeurez

morar,
habitar,
residir

Presente	me dépêche, te dépêches, se dépêche;	
Indicativo	nous dépêchons, vous dépêchez, se dépêchent	*darse prisa*

Pret. Imp. me dépêchais, te dépêchais, se dépêchait;
Indicativo nous dépêchions, vous dépêchiez, se dépêchaient

Pret. Indef. me dépêchai, te dépêchas, se dépêcha;
Indicativo nous dépêchâmes, vous dépêchâtes, se dépêchèrent

Fut. Imp. me dépêcherai, te dépêcheras, se dépêchera;
Indicativo nous dépêcherons, vous dépêcherez, se dépêcheront

Potencial me dépêcherais, te dépêcherais, se dépêcherait;
Simple nous dépêcherions, vous dépêcheriez, se dépêcheraient

Presente me dépêche, te dépêches, se dépêche;
Subjuntivo nous dépêchions, vous dépêchiez, se dépêchent

Pret. Imp. me dépêchasse, te dépêchasses, se dépêchât;
Subjuntivo nous dépêchassions, vous dépêchassiez, se dépêchassent

Pret. Perf. me suis dépêché(e), t'es dépêché(e), s'est dépêché(e);
Indicativo nous sommes dépêché(e)s, vous êtes dépêché(e)(s), se sont dépêché(e)s

Pret. Plus. m'étais dépêché(e), t'étais dépêché(e), s'était dépêché(e);
Indicativo nous étions dépêché(e)s, vous étiez dépêché(e)(s), s'étaient dépêché(e)s

Pretérito me fus dépêché(e), te fus dépêché(e), se fut dépêché(e);
Anterior nous fûmes dépêché(e)s, vous fûtes dépêché(e)(s), se furent dépêché(e)s

Fut. Perf. me serai dépêché(e), te seras dépêché(e), se sera dépêché(e);
Indicativo nous serons dépêché(e)s, vous serez dépêché(e)(s), se seront dépêché(e)s

Potencial me serais dépêché(e), te serais dépêché(e), se serait dépêché(e);
Perfecto nous serions dépêché(e)s, vous seriez dépêché(e)(s),
se seraient dépêché(e)s

Pret. Perf. me sois dépêché(e), te sois dépêché(e), se soit dépêché(e);
Subjuntivo nous soyons dépêché(e)s, vous soyez dépêché(e)(s), se soient dépêché(e)s

Pret. Plus. me fusse dépêché(e), te fusses dépêché(e), se fût dépêché(e);
Subjuntivo nous fussions dépêché(e)s, vous fussiez dépêché(e)(s),
se fussent dépêché(e)s

Imperativo dépêche-toi, dépêchons-nous, dépêchez-vous

Presente *Indicativo*	descends, descends, descend; descendons, descendez, descendent	*descender,*
Pret. Imp. *Indicativo*	descendais, descendais, descendait; descendions, descendiez, descendaient	*bajar*

Pret. Indef. descendis, descendis, descendit;
Indicativo descendîmes, descendîtes, descendirent

Fut. Imp. descendrai, descendras, descendra;
Indicativo descendrons, descendrez, descendront

Potencial descendrais, descendrais, descendrait;
Simple descendrions, descendriez, descendraient

Presente descende, descendes, descende;
Subjuntivo descendions, descendiez, descendent

Pret. Imp. descendisse, descendisses, descendît;
Subjuntivo descendissions, descendissiez, descendissent

Pret. Perf. suis descendu(e), es descendu(e), est descendu(e);
Indicativo sommes descendu(e)s, êtes descendu(e)(s), sont descendu(e)s

Pret. Plus. étais descendu(e), étais descendu(e), était descendu(e);
Indicativo étions descendu(e)s, étiez descendu(e)(s), étaient descendu(e)s

Pretérito fus descendu(e), fus descendu(e), fut descendu(e);
Anterior fûmes descendu(e)s, fûtes descendu(e)(s), furent descendu(e)s

Fut. Perf. serai descendu(e), seras descendu(e), sera descendu(e);
Indicativo serons descendu(e)s, serez descendu(e)(s), seront descendu(e)s

Potencial serais descendu(e), serais descendu(e), serait descendu(e);
Perfecto serions descendu(e)s, seriez descendu(e)(s), seraient descendu(e)s

Pret. Perf. sois descendu(e), sois descendu(e), soit descendu(e);
Subjuntivo soyons descendu(e)s, soyez descendu(e)(s), soient descendu(e)s

Pret. Plus. fusse descendu(e), fusses descendu(e), fût descendu(e);
Subjuntivo fussions descendu(e)s, fussiez descendu(e)(s), fussent descendu(e)s

Imperativo descends, descendons, descendez

＊ Este verbo se conjuga con *avoir* si hay complemento.
　Ejemplos: J'ai descendu l'escalier.
　　　　　J'ai descendu les valises.

71

Presente *Indicativo*	désire, désires, désire; désirons, désirez, désirent	*desear*
Pret. Imp. *Indicativo*	désirais, désirais, désirait; désirions, désiriez, désiraient	
Pret. Indef. *Indicativo*	désirai, désiras, désira; désirâmes, désirâtes, désirèrent	
Fut. Imp. *Indicativo*	désirerai, désireras, désirera; désirerons, désirerez, désireront	
Potencial *Simple*	désirerais, désirerais, désirerait; désirerions, désireriez, désireraient	
Presente *Subjuntivo*	désire, désires, désire; désirions, désiriez, désirent	
Pret. Imp. *Subjuntivo*	désirasse, désirasses, désirât; désirassions, désirassiez, désirassent	
Pret. Perf. *Indicativo*	ai désiré, as désiré, a désiré; avons désiré, avez désiré, ont désiré	
Pret. Plus. *Indicativo*	avais désiré, avais désiré, avait désiré; avions désiré, aviez désiré, avaient désiré	
Pretérito *Anterior*	eus désiré, eus désiré, eut désiré; eûmes désiré, eûtes désiré, eurent désiré	
Fut. Perf. *Indicativo*	aurai désiré, auras désiré, aura désiré; aurons désiré, aurez désiré, auront désiré	
Potencial *Perfecto*	aurais désiré, aurais désiré, aurait désiré; aurions désiré, auriez désiré, auraient désiré	
Pret. Perf. *Subjuntivo*	aie désiré, aies désiré, ait désiré; ayons désiré, ayez désiré, aient désiré	
Pret. Plus. *Subjuntivo*	eusse désiré, eusses désiré, eût désiré; eussions désiré, eussiez désiré, eussent désiré	
Imperativo	[no se emplea]	

Presente *Indicativo*	deviens, deviens, devient; devenons, devenez, deviennent	*llegar a ser,* *hacerse*
Pret. Imp. *Indicativo*	devenais, devenais, devenait; devenions, deveniez, devenaient	
Pret. Indef. *Indicativo*	devins, devins, devint; devînmes, devîntes, devinrent	
Fut. Imp. *Indicativo*	deviendrai, deviendras, deviendra; deviendrons, deviendrez, deviendront	
Potencial *Simple*	deviendrais, deviendrais, deviendrait; deviendrions, deviendriez, deviendraient	
Presente *Subjuntivo*	devienne, deviennes, devienne; devenions, deveniez, deviennent	
Pret. Imp. *Subjuntivo*	devinsse, devinsses, devînt; devinssions, devinssiez, devinssent	
Pret. Perf. *Indicativo*	suis devenu(e), es devenu(e), est devenu(e); sommes devenu(e)s, êtes devenu(e)(s), sont devenu(e)s	
Pret. Plus. *Indicativo*	étais devenu(e), étais devenu(e), était devenu(e); étions devenu(e)s, étiez devenu(e)(s), étaient devenu(e)s	
Pretérito *Anterior*	fus devenu(e), fus devenu(e), fut devenu(e); fûmes devenu(e)s, fûtes devenu(e)(s), furent devenu(e)s	
Fut. Perf. *Indicativo*	serai devenu(e), seras devenu(e), sera devenu(e); serons devenu(e)s, serez devenu(e)(s), seront devenu(e)s	
Potencial *Perfecto*	serais devenu(e), serais devenu(e), serait devenu(e); serions devenu(e)s, seriez devenu(e)(s), seraient devenu(e)s	
Pret. Perf. *Subjuntivo*	sois devenu(e), sois devenu(e), soit devenu(e); soyons devenu(e)s, soyez devenu(e)(s), soient devenu(e)s	
Pret. Plus. *Subjuntivo*	fusse devenu(e), fusses devenu(e), fût devenu(e); fussions devenu(e)s, fussiez devenu(e)(s), fussent devenu(e)s	
Imperativo	deviens, devenons, devenez	

deber

Presente *Indicativo*	dois, dois, doit; devons, devez, doivent
Pret. Imp. *Indicativo*	devais, devais, devait; devions, deviez, devaient
Pret. Indef. *Indicativo*	dus, dus, dut; dûmes, dûtes, durent
Fut. Imp. *Indicativo*	devrai, devras, devra; devrons, devrez, devront
Potencial *Simple*	devrais, devrais, devrait; devrions, devriez, devraient
Presente *Subjuntivo*	doive, doives, doive; devions, deviez, doivent
Pret. Imp. *Subjuntivo*	dusse, dusses, dût; dussions, dussiez, dussent
Pret. Perf. *Indicativo*	ai dû, as dû, a dû; avons dû, avez dû, ont dû
Pret. Plus. *Indicativo*	avais dû, avais dû, avait dû; avions dû, aviez dû, avaient dû
Pretérito *Anterior*	eus dû, eus dû, eut dû; eûmes dû, eûtes dû, eurent dû
Fut. Perf. *Indicativo*	aurai dû, auras dû, aura dû; aurons dû, aurez dû, auront dû
Potencial *Perfecto*	aurais dû, aurais dû, aurait dû; aurions dû, auriez dû, auraient dû
Pret. Perf. *Subjuntivo*	aie dû, aies dû, ait dû; ayons dû, ayez dû, aient dû
Pret. Plus. *Subjuntivo*	eusse dû, eusses dû, eût dû; eussions dû, eussiez dû, eussent dû
Imperativo	dois, devons, devez

Presente *Indicativo*	dîne, dînes, dîne; dînons, dînez, dînent

cenar

Pret. Imp. *Indicativo*	dînais, dînais, dînait; dînions, dîniez, dînaient
Pret. Indef. *Indicativo*	dînai, dînas, dîna; dînâmes, dînâtes, dînèrent
Fut. Imp. *Indicativo*	dînerai, dîneras, dînera; dînerons, dînerez, dîneront
Potencial *Simple*	dînerais, dînerais, dînerait; dînerions, dîneriez, dîneraient
Presente *Subjuntivo*	dîne, dînes, dîne; dînions, dîniez, dînent
Pret. Imp. *Subjuntivo*	dînasse, dînasses, dînât; dînassions, dînassiez, dînassent
Pret. Perf. *Indicativo*	ai dîné, as dîné, a dîné; avons dîné, avez dîné, ont dîné
Pret. Plus. *Indicativo*	avais dîné, avais dîné, avait dîné; avions dîné, aviez dîné, avaient dîné
Pretérito *Anterior*	eus dîné, eus dîné, eut dîné; eûmes dîné, eûtes dîné, eurent dîné
Fut. Perf. *Indicativo*	aurai dîné, auras dîné, aura dîné; aurons dîné, aurez dîné, auront dîné
Potencial *Perfecto*	aurais dîné, aurais dîné, aurait dîné; aurions dîné, auriez dîné, auraient dîné
Pret. Perf. *Subjuntivo*	aie dîné, aies dîné, ait dîné; ayons dîné, ayez dîné, aient dîné
Pret. Plus. *Subjuntivo*	eusse dîné, eusses dîné, eût dîné; eussions dîné, eussiez dîné, eussent dîné
Imperativo	dîne, dînons, dînez

dire

Presente *Indicativo*	dis, dis, dit; disons, dites, disent

decir

Pret. Imp. *Indicativo*	disais, disais, disait; disions, disiez, disaient
Pret. Indef. *Indicativo*	dis, dis, dit; dîmes, dîtes, dirent
Fut. Imp. *Indicativo*	dirai, diras, dira; dirons, direz, diront
Potencial *Simple*	dirais, dirais, dirait; dirions, diriez, diraient
Presente *Subjuntivo*	dise, dises, dise; disions, disiez, disent
Pret. Imp. *Subjuntivo*	disse, disses, dît; dissions, dissiez, dissent
Pret. Perf. *Indicativo*	ai dit, as dit, a dit; avons dit, avez dit, ont dit
Pret. Plus. *Indicativo*	avais dit, avais dit, avait dit; avions dit, aviez dit, avaient dit
Pretérito *Anterior*	eus dit, eus dit, eut dit; eûmes dit, eûtes dit, eurent dit
Fut. Perf. *Indicativo*	aurai dit, auras dit, aura dit; aurons dit, aurez dit, auront dit
Potencial *Perfecto*	aurais dit, aurais dit, aurait dit; aurions dit, auriez dit, auraient dit
Pret. Perf. *Subjuntivo*	aie dit, aies dit, ait dit; ayons dit, ayez dit, aient dit
Pret. Plus. *Subjuntivo*	eusse dit, eusses dit, eût dit; eussions dit, eussiez dit, eussent dit
Imperativo	dis, disons, dites

		dar

Presente
Indicativo
donne, donnes, donne;
donnons, donnez, donnent

Pret. Imp.
Indicativo
donnais, donnais, donnait;
donnions, donniez, donnaient

Pret. Indef.
Indicativo
donnai, donnas, donna;
donnâmes, donnâtes, donnèrent

Fut. Imp.
Indicativo
donnerai, donneras, donnera;
donnerons, donnerez, donneront

Potencial
Simple
donnerais, donnerais, donnerait;
donnerions, donneriez, donneraient

Presente
Subjuntivo
donne, donnes, donne;
donnions, donniez, donnent

Pret. Imp.
Subjuntivo
donnasse, donnasses, donnât;
donnassions, donnassiez, donnassent

Pret. Perf.
Indicativo
ai donné, as donné, a donné;
avons donné, avez donné, ont donné

Pret. Plus.
Indicativo
avais donné, avais donné, avait donné;
avions donné, aviez donné, avaient donné

Pretérito
Anterior
eus donné, eus donné, eut donné;
eûmes donné, eûtes donné, eurent donné

Fut. Perf.
Indicativo
aurai donné, auras donné, aura donné;
aurons donné, aurez donné, auront donné

Potencial
Perfecto
aurais donné, aurais donné, aurait donné;
aurions donné, auriez donné, auraient donné

Pret. Perf.
Subjuntivo
aie donné, aies donné, ait donné;
ayons donné, ayez donné, aient donné

Pret. Plus.
Subjuntivo
eusse donné, eusses donné, eût donné;
eussions donné, eussiez donné, eussent donné

Imperativo donne, donnons, donnez

Presente *Indicativo*	dors, dors, dort; dormons, dormez, dorment	*dormir*
Pret. Imp. *Indicativo*	dormais, dormais, dormait; dormions, dormiez, dormaient	
Pret. Indef. *Indicativo*	dormis, dormis, dormit; dormîmes, dormîtes, dormirent	
Fut. Imp. *Indicativo*	dormirai, dormiras, dormira; dormirons, dormirez, dormiront	
Potencial *Simple*	dormirais, dormirais, dormirait; dormirions, dormiriez, dormiraient	
Presente *Subjuntivo*	dorme, dormes, dorme; dormions, dormiez, dorment	
Pret. Imp. *Subjuntivo*	dormisse, dormisses, dormît; dormissions, dormissiez, dormissent	
Pret. Perf. *Indicativo*	ai dormi, as dormi, a dormi; avons dormi, avez dormi, ont dormi	
Pret. Plus. *Indicativo*	avais dormi, avais dormi, avait dormi; avions dormi, aviez dormi, avaient dormi	
Pretérito *Anterior*	eus dormi, eus dormi, eut dormi; eûmes dormi, eûtes dormi, eurent dormi	
Fut. Perf. *Indicativo*	aurai dormi, auras dormi, aura dormi; aurons dormi, aurez dormi, auront dormi	
Potencial *Perfecto*	aurais dormi, aurais dormi, aurait dormi; aurions dormi, auriez dormi, auraient dormi	
Pret. Perf. *Subjuntivo*	aie dormi, aies dormi, ait dormi; ayons dormi, ayez dormi, aient dormi	
Pret. Plus. *Subjuntivo*	eusse dormi, eusses dormi, eût dormi; eussions dormi, eussiez dormi, eussent dormi	
Imperativo	dors, dormons, dormez	

écouter

Presente *Indicativo*	écoute, écoutes, écoute; écoutons, écoutez, écoutent	*escuchar*
Pret. Imp. *Indicativo*	écoutais, écoutais, écoutait; écoutions, écoutiez, écoutaient	
Pret. Indef. *Indicativo*	écoutai, écoutas, écouta; écoutâmes, écoutâtes, écoutèrent	
Fut. Imp. *Indicativo*	écouterai, écouteras, écoutera; écouterons, écouterez, écouteront	
Potencial *Simple*	écouterais, écouterais, écouterait; écouterions, écouteriez, écouteraient	
Presente *Subjuntivo*	écoute, écoutes, écoute; écoutions, écoutiez, écoutent	
Pret. Imp. *Subjuntivo*	écoutasse, écoutasses, écoutât; écoutassions, écoutassiez, écoutassent	
Pret. Perf. *Indicativo*	ai écouté, as écouté, a écouté; avons écouté, avez écouté, ont écouté	
Pret. Plus. *Indicativo*	avais écouté, avais écouté, avait écouté; avions écouté, aviez écouté, avaient écouté	
Pretérito *Anterior*	eus écouté, eus écouté, eut écouté; eûmes écouté, eûtes écouté, eurent écouté	
Fut. Perf. *Indicativo*	aurai écouté, auras écouté, aura écouté; aurons écouté, aurez écouté, auront écouté	
Potencial *Perfecto*	aurais écouté, aurais écouté, aurait écouté; aurions écouté, auriez écouté, auraient écouté	
Pret. Perf. *Subjuntivo*	aie écouté, aies écouté, ait écouté; ayons écouté, ayez écouté, aient écouté	
Pret. Plus. *Subjuntivo*	eusse écouté, eusses écouté, eût écouté; eussions écouté, eussiez écouté, eussent écouté	
Imperativo	écoute, écoutons, écoutez	

Presente *Indicativo*	écris, écris, écrit; écrivons, écrivez, écrivent	*escribir*
Pret. Imp. *Indicativo*	écrivais, écrivais, écrivait; écrivions, écriviez, écrivaient	
Pret. Indef. *Indicativo*	écrivis, écrivis, écrivit; écrivîmes, écrivîtes, écrivirent	
Fut. Imp. *Indicativo*	écrirai, écriras, écrira; écrirons, écrirez, écriront	
Potencial *Simple*	écrirais, écrirais, écrirait; écririons, écririez, écriraient	
Presente *Subjuntivo*	écrive, écrives, écrive; écrivions, écriviez, écrivent	
Pret. Imp. *Subjuntivo*	écrivisse, écrivisses, écrivît; écrivissions, écrivissiez, écrivissent	
Pret. Perf. *Indicativo*	ai écrit, as écrit, a écrit; avons écrit, avez écrit, ont écrit	
Pret. Plus. *Indicativo*	avais écrit, avais écrit, avait écrit; avions écrit, aviez écrit, avaient écrit	
Pretérito *Anterior*	eus écrit, eus écrit, eut écrit; eûmes écrit, eûtes écrit, eurent écrit	
Fut. Perf. *Indicativo*	aurai écrit, auras écrit, aura écrit; aurons écrit, aurez écrit, auront écrit	
Potencial *Perfecto*	aurais écrit, aurais écrit, aurait écrit; aurions écrit, auriez écrit, auraient écrit	
Pret. Perf. *Subjuntivo*	aie écrit, aies écrit, ait écrit; ayons écrit, ayez écrit, aient écrit	
Pret. Plus. *Subjuntivo*	eusse écrit, eusses écrit, eût écrit; eussions écrit, eussiez écrit, eussent écrit	
Imperativo	écris, écrivons, écrivez	

Presente *Indicativo*	emploie, emploies, emploie; employons, employez, emploient	*emplear,* *usar*
Pret. Imp. *Indicativo*	employais, employais, employait; employions, employiez, employaient	
Pret. Indef. *Indicativo*	employai, employas, employa; employâmes, employâtes, employèrent	
Fut. Imp. *Indicativo*	emploierai, emploieras, emploiera; emploierons, emploierez, emploieront	
Potencial *Simple*	emploierais, emploierais, emploierait; emploierions, emploieriez, emploieraient	
Presente *Subjuntivo*	emploie, emploies, emploie; employions, employiez, emploient	
Pret. Imp. *Subjuntivo*	employasse, employasses, employât; employassions, employassiez, employassent	
Pret. Perf. *Indicativo*	ai employé, as employé, a employé; avons employé, avez employé, ont employé	
Pret. Plus. *Indicativo*	avais employé, avais employé, avait employé; avions employé, aviez employé, avaient employé	
Pretérito *Anterior*	eus employé, eus employé, eut employé; eûmes employé, eûtes employé, eurent employé	
Fut. Perf. *Indicativo*	aurai employé, auras employé, aura employé; aurons employé, aurez employé, auront employé	
Potencial *Perfecto*	aurais employé, aurais employé, aurait employé; aurions employé, auriez employé, auraient employé	
Pret. Perf. *Subjuntivo*	aie employé, aies employé, ait employé; ayons employé, ayez employé, aient employé	
Pret. Plus. *Subjuntivo*	eusse employé, eusses employé, eût employé; eussions employé, eussiez employé, eussent employé	
Imperativo	emploie, employons, employez	

Presente *Indicativo*	emprunte, empruntes, emprunte; empruntons, empruntez, empruntent	*tomar prestado,* *pedir a préstamo*
Pret. Imp. *Indicativo*	empruntais, empruntais, empruntait; empruntions, empruntiez, empruntaient	
Pret. Indef. *Indicativo*	empruntai, empruntas, emprunta; empruntâmes, empruntâtes, empruntèrent	
Fut. Imp. *Indicativo*	emprunterai, emprunteras, empruntera; emprunterons, emprunterez, emprunteront	
Potencial *Simple*	emprunterais, emprunterais, emprunterait; emprunterions, emprunteriez, emprunteraient	
Presente *Subjuntivo*	emprunte, empruntes, emprunte; empruntions, empruntiez, empruntent	
Pret. Imp. *Subjuntivo*	empruntasse, empruntasses, empruntât; empruntassions, empruntassiez, empruntassent	
Pret. Perf. *Indicativo*	ai emprunté, as emprunté, a emprunté; avons emprunté, avez emprunté, ont emprunté	
Pret. Plus. *Indicativo*	avais emprunté, avais emprunté, avait emprunté; avions emprunté, aviez emprunté, avaient emprunté	
Pretérito *Anterior*	eus emprunté, eus emprunté, eut emprunté; eûmes emprunté, eûtes emprunté, eurent emprunté	
Fut. Perf. *Indicativo*	aurai emprunté, auras emprunté, aura emprunté; aurons emprunté, aurez emprunté, auront emprunté	
Potencial *Perfecto*	aurais emprunté, aurais emprunté, aurait emprunté; aurions emprunté, auriez emprunté, auraient emprunté	
Pret. Perf. *Subjuntivo*	aie emprunté, aies emprunté, ait emprunté; ayons emprunté, ayez emprunté, aient emprunté	
Pret. Plus. *Subjuntivo*	eusse emprunté, eusses emprunté, eût emprunté; eussions emprunté, eussiez emprunté, eussent emprunté	
Imperativo	emprunte, empruntons, empruntez	

Presente *Indicativo*	ennuie, ennuies, ennuie; ennuyons, ennuyez, ennuient
Pret. Imp. *Indicativo*	ennuyais, ennuyais, ennuyait; ennuyions, ennuyiez, ennuyaient
Pret. Indef. *Indicativo*	ennuyai, ennuyas, ennuya; ennuyâmes, ennuyâtes, ennuyèrent
Fut. Imp. *Indicativo*	ennuierai, ennuieras, ennuiera; ennuierons, ennuierez, ennuieront
Potencial *Simple*	ennuierais, ennuierais, ennuierait; ennuierions, ennuieriez, ennuieraient
Presente *Subjuntivo*	ennuie, ennuies, ennuie; ennuyions, ennuyiez, ennuient
Pret. Imp. *Subjuntivo*	ennuyasse, ennuyasses, ennuyât; ennuyassions, ennuyassiez, ennuyassent
Pret. Perf. *Indicativo*	ai ennuyé, as ennuyé, a ennuyé; avons ennuyé, avez ennuyé, ont ennuyé
Pret. Plus. *Indicativo*	avais ennuyé, avais ennuyé, avait ennuyé; avions ennuyé, aviez ennuyé, avaient ennuyé
Pretérito *Anterior*	eus ennuyé, eus ennuyé, eut ennuyé; eûmes ennuyé, eûtes ennuyé, eurent ennuyé
Fut. Perf. *Indicativo*	aurai ennuyé, auras ennuyé, aura ennuyé; aurons ennuyé, aurez ennuyé, auront ennuyé
Potencial *Perfecto*	aurais ennuyé, aurais ennuyé, aurait ennuyé; aurions ennuyé, auriez ennuyé, auraient ennuyé
Pret. Perf. *Subjuntivo*	aie ennuyé, aies ennuyé, ait ennuyé; ayons ennuyé, ayez ennuyé, aient ennuyé
Pret. Plus. *Subjuntivo*	eusse ennuyé, eusses ennuyé, eût ennuyé; eussions ennuyé, eussiez ennuyé, eussent ennuyé
Imperativo	ennuie, ennuyons, ennuyez

*aburrir,
fastidiar*

enseñar

Presente *Indicativo*	enseigne, enseignes, enseigne; enseignons, enseignez, enseignent
Pret. Imp. *Indicativo*	enseignais, enseignais, enseignait; enseignions, enseigniez, enseignaient
Pret. Indef. *Indicativo*	enseignai, enseignas, enseigna; enseignâmes, enseignâtes, enseignèrent
Fut. Imp. *Indicativo*	enseignerai, enseigneras, enseignera; enseignerons, enseignerez, enseigneront
Potencial *Simple*	enseignerais, enseignerais, enseignerait; enseignerions, enseigneriez, enseigneraient
Presente *Subjuntivo*	enseigne, enseignes, enseigne; enseignions, enseigniez, enseignent
Pret. Imp. *Subjuntivo*	enseignasse, enseignasses, enseignât; enseignassions, enseignassiez, enseignassent
Pret. Perf. *Indicativo*	ai enseigné, as enseigné, a enseigné; avons enseigné, avez enseigné, ont enseigné
Pret. Plus. *Indicativo*	avais enseigné, avais enseigné, avait enseigné; avions enseigné, aviez enseigné, avaient enseigné
Pretérito *Anterior*	eus enseigné, eus enseigné, eut enseigné; eûmes enseigné, eûtes enseigné, eurent enseigné
Fut. Perf. *Indicativo*	aurai enseigné, auras enseigné, aura enseigné; aurons enseigné, aurez enseigné, auront enseigné
Potencial *Perfecto*	aurais enseigné, aurais enseigné, aurait enseigné; aurions enseigné, auriez enseigné, auraient enseigné
Pret. Perf. *Subjuntivo*	aie enseigné, aies enseigné, ait enseigné; ayons enseigné, ayez enseigné, aient enseigné
Pret. Plus. *Subjuntivo*	eusse enseigné, eusses enseigné, eût enseigné; eussions enseigné, eussiez enseigné, eussent enseigné
Imperativo	enseigne, enseignons, enseignez

entendre

Presente	entends, entends, entend;
Indicativo	entendons, entendez, entendent

oir,
entender,
comprender

Pret. Imp.	entendais, entendais, entendait;
Indicativo	entendions, entendiez, entendaient
Pret. Indef.	entendis, entendis, entendit;
Indicativo	entendîmes, entendîtes, entendirent
Fut. Imp.	entendrai, entendras, entendra;
Indicativo	entendrons, entendrez, entendront
Potencial	entendrais, entendrais, entendrait;
Simple	entendrions, entendriez, entendraient
Presente	entende, entendes, entende;
Subjuntivo	entendions, entendiez, entendent
Pret. Imp.	entendisse, entendisses, entendît;
Subjuntivo	entendissions, entendissiez, entendissent
Pret. Perf.	ai entendu, as entendu, a entendu;
Indicativo	avons entendu, avez entendu, ont entendu
Pret. Plus.	avais entendu, avais entendu, avait entendu;
Indicativo	avions entendu, aviez entendu, avaient entendu
Pretérito	eus entendu, eus entendu, eut entendu;
Anterior	eûmes entendu, eûtes entendu, eurent entendu
Fut. Perf.	aurai entendu, auras entendu, aura entendu;
Indicativo	aurons entendu, aurez entendu, auront entendu
Potencial	aurais entendu, aurais entendu, aurait entendu;
Perfecto	aurions entendu, auriez entendu, auraient entendu
Pret. Perf.	aie entendu, aies entendu, ait entendu;
Subjuntivo	ayons entendu, ayez entendu, aient entendu
Pret. Plus.	eusse entendu, eusses entendu, eût entendu;
Subjuntivo	eussions entendu, eussiez entendu, eussent entendu
Imperativo	entends, entendons, entendez

Presente *Indicativo*	entre, entres, entre; entrons, entrez, entrent

entrar

Pret. Imp. *Indicativo*	entrais, entrais, entrait; entrions, entriez, entraient
Pret. Indef. *Indicativo*	entrai, entras, entra; entrâmes, entrâtes, entrèrent
Fut. Imp. *Indicativo*	entrerai, entreras, entrera; entrerons, entrerez, entreront
Potencial *Simple*	entrerais, entrerais, entrerait; entrerions, entreriez, entreraient
Presente *Subjuntivo*	entre, entres, entre; entrions, entriez, entrent
Pret. Imp. *Subjuntivo*	entrasse, entrasses, entrât; entrassions, entrassiez, entrassent
Pret. Perf. *Indicativo*	suis entré(e), es entré(e), est entré(e); sommes entré(e)s, êtes entré(e)(s), sont entré(e)s
Pret. Plus. *Indicativo*	étais entré(e), étais entré(e), était entré(e); étions entré(e)s, étiez entré(e)(s), étaient entré(e)s
Pretérito *Anterior*	fus entré(e), fus entré(e), fut entré(e); fûmes entré(e)s, fûtes entré(e)(s), furent entré(e)s
Fut. Perf. *Indicativo*	serai entré(e), seras entré(e), sera entré(e); serons entré(e)s, serez entré(e)(s), seront entré(e)s
Potencial *Perfecto*	serais entré(e), serais entré(e), serait entré(e); serions entré(e)s, seriez entré(e)(s), seraient entré(e)s
Pret. Perf. *Subjuntivo*	sois entré(e), sois entré(e), soit entré(e); soyons entré(e)s, soyez entré(e)(s), soient entré(e)s
Pret. Plus. *Subjuntivo*	fusse entré(e), fusses entré(e), fût entré(e); fussions entré(e)s, fussiez entré(e)(s), fussent entré(e)s
Imperativo	entre, entrons, entrez

Presente *Indicativo*	envoie, envoies, envoie; envoyons, envoyez, envoient	*enviar,* *mandar*
Pret. Imp. *Indicativo*	envoyais, envoyais, envoyait; envoyions, envoyiez, envoyaient	
Pret. Indef. *Indicativo*	envoyai, envoyas, envoya; envoyâmes, envoyâtes, envoyèrent	
Fut. Imp. *Indicativo*	enverrai, enverras, enverra; enverrons, enverrez, enverront	
Potencial *Simple*	enverrais, enverrais, enverrait; enverrions, enverriez, enverraient	
Presente *Subjuntivo*	envoie, envoies, envoie; envoyions, envoyiez, envoient	
Pret. Imp. *Subjuntivo*	envoyasse, envoyasses, envoyât; envoyassions, envoyassiez, envoyassent	
Pret. Perf. *Indicativo*	ai envoyé, as envoyé, a envoyé; avons envoyé, avez envoyé, ont envoyé	
Pret. Plus. *Indicativo*	avais envoyé, avais envoyé, avait envoyé; avions envoyé, aviez envoyé, avaient envoyé	
Pretérito *Anterior*	eus envoyé, eus envoyé, eut envoyé; eûmes envoyé, eûtes envoyé, eurent envoyé	
Fut. Perf. *Indicativo*	aurai envoyé, auras envoyé, aura envoyé; aurons envoyé, aurez envoyé, auront envoyé	
Potencial *Perfecto*	aurais envoyé, aurais envoyé, aurait envoyé; aurions envoyé, auriez envoyé, auraient envoyé	
Pret. Perf. *Subjuntivo*	aie envoyé, aies envoyé, ait envoyé; ayons envoyé, ayez envoyé, aient envoyé	
Pret. Plus. *Subjuntivo*	eusse envoyé, eusses envoyé, eût envoyé; eussions envoyé, eussiez envoyé, eussent envoyé	
Imperativo	envoie, envoyons, envoyez	

Presente	espère, espères, espère;
Indicativo	espérons, espérez, espèrent

esperar

| *Pret. Imp.* | espérais, espérais, espérait; |
| *Indicativo* | espérions, espériez, espéraient |

| *Pret. Indef.* | espérai, espéras, espéra; |
| *Indicativo* | espérâmes, espérâtes, espérèrent |

| *Fut. Imp.* | espérerai, espéreras, espérera; |
| *Indicativo* | espérerons, espérerez, espéreront |

| *Potencial* | espérerais, espérerais, espérerait; |
| *Simple* | espérerions, espéreriez, espéreraient |

| *Presente* | espère, espères, espère; |
| *Subjuntivo* | espérions, espériez, espèrent |

| *Pret. Imp.* | espérasse, espérasses, espérât; |
| *Subjuntivo* | espérassions, espérassiez, espérassent |

| *Pret. Perf.* | ai espéré, as espéré, a espéré; |
| *Indicativo* | avons espéré, avez espéré, ont espéré |

| *Pret. Plus.* | avais espéré, avais espéré, avait espéré; |
| *Indicativo* | avions espéré, aviez espéré, avaient espéré |

| *Pretérito* | eus espéré, eus espéré, eut espéré; |
| *Anterior* | eûmes espéré, eûtes espéré, eurent espéré |

| *Fut. Perf.* | aurai espéré, auras espéré, aura espéré; |
| *Indicativo* | aurons espéré, aurez espéré, auront espéré |

| *Potencial* | aurais espéré, aurais espéré, aurait espéré; |
| *Perfecto* | aurions espéré, auriez espéré, auraient espéré |

| *Pret. Perf.* | aie espéré, aies espéré, ait espéré; |
| *Subjuntivo* | ayons espéré, ayez espéré, aient espéré |

| *Pret. Plus.* | eusse espéré, eusses espéré, eût espéré; |
| *Subjuntivo* | eussions espéré, eussiez espéré, eussent espéré |

| *Imperativo* | espère, espérons, espérez |

Presente *Indicativo*	essaye, essayes, essaye; essayons, essayez, essayent	*ensayar,* *probar*
Pret. Imp. *Indicativo*	essayais, essayais, essayait; essayions, essayiez, essayaient	
Pret. Indef. *Indicativo*	essayai, essayas, essaya; essayâmes, essayâtes, essayèrent	
Fut. Imp. *Indicativo*	essayerai, essayeras, essayera; essayerons, essayerez, essayeront	
Potencial *Simple*	essayerais, essayerais, essayerait; essayerions, essayeriez, essayeraient	
Presente *Subjuntivo*	essaye, essayes, essaye; essayions, essayiez, essayent	
Pret. Imp. *Subjuntivo*	essayasse, essayasses, essayât; essayassions, essayassiez, essayassent	
Pret. Perf. *Indicativo*	ai essayé, as essayé, a essayé; avons essayé, avez essayé, ont essayé	
Pret. Plus. *Indicativo*	avais essayé, avais essayé, avait essayé; avions essayé, aviez essayé, avaient essayé	
Pretérito *Anterior*	eus essayé, eus essayé, eut essayé; eûmes essayé, eûtes essayé, eurent essayé	
Fut. Perf. *Indicativo*	aurai essayé, auras essayé, aura essayé; aurons essayé, aurez essayé, auront essayé	
Potencial *Perfecto*	aurais essayé, aurais essayé, aurait essayé; aurions essayé, auriez essayé, auraient essayé	
Pret. Perf. *Subjuntivo*	aie essayé, aies essayé, ait essayé; ayons essayé, ayez essayé, aient essayé	
Pret. Plus. *Subjuntivo*	eusse essayé, eusses essayé, eût essayé; eussions essayé, eussiez essayé, eussent essayé	
Imperativo	essaye, essayons, essayez	

Presente *Indicativo*	essuie, essuies, essuie; essuyons, essuyez, essuient
Pret. Imp. *Indicativo*	essuyais, essuyais, essuyait; essuyions, essuyiez, essuyaient
Pret. Indef. *Indicativo*	essuyai, essuyas, essuya; essuyâmes, essuyâtes, essuyèrent
Fut. Imp. *Indicativo*	essuierai, essuieras, essuiera; essuierons, essuierez, essuieront
Potencial *Simple*	essuierais, essuierais, essuierait; essuierions, essuieriez, essuieraient
Presente *Subjuntivo*	essuie, essuies, essuie; essuyions, essuyiez, essuient
Pret. Imp. *Subjuntivo*	essuyasse, essuyasses, essuyât; essuyassions, essuyassiez, essuyassent
Pret. Perf. *Indicativo*	ai essuyé, as essuyé, a essuyé; avons essuyé, avez essuyé, ont essuyé
Pret. Plus. *Indicativo*	avais essuyé, avais essuyé, avait essuyé; avions essuyé, aviez essuyé, avaient essuyé
Pretérito *Anterior*	eus essuyé, eus essuyé, eut essuyé; eûmes essuyé, eûtes essuyé, eurent essuyé
Fut. Perf. *Indicativo*	aurai essuyé, auras essuyé, aura essuyé; aurons essuyé, aurez essuyé, auront essuyé
Potencial *Perfecto*	aurais essuyé, aurais essuyé, aurait essuyé; aurions essuyé, auriez essuyé, auraient essuyé
Pret. Perf. *Subjuntivo*	aie essuyé, aies essuyé, ait essuyé; ayons essuyé, ayez essuyé, aient essuyé
Pret. Plus. *Subjuntivo*	eusse essuyé, eusses essuyé, eût essuyé; eussions essuyé, eussiez essuyé, eussent essuyé
Imperativo	essuie, essuyons, essuyez

limpiar

être

ser, existir, estar

Presente *Indicativo*	suis, es, est; sommes, êtes, sont
Pret. Imp. *Indicativo*	étais, étais, était; étions, étiez, étaient
Pret. Indef. *Indicativo*	fus, fus, fut; fûmes, fûtes, furent
Fut. Imp. *Indicativo*	serai, seras, sera; serons, serez, seront
Potencial *Simple*	serais, serais, serait; serions, seriez, seraient
Presente *Subjuntivo*	sois, sois, soit; soyons, soyez, soient
Pret. Imp. *Subjuntivo*	fusse, fusses, fût; fussions, fussiez, fussent
Pret. Perf. *Indicativo*	ai été, as été, a été; avons été, avez été, ont été
Pret. Plus. *Indicativo*	avais été, avais été, avait été; avions été, aviez été, avaient été
Pretérito *Anterior*	eus été, eus été, eut été; eûmes été, eûtes été, eurent été
Fut. Perf. *Indicativo*	aurai été, auras été, aura été; aurons été, aurez été, auront été
Potencial *Perfecto*	aurais été, aurais été, aurait été; aurions été, auriez été, auraient été
Pret. Perf. *Subjuntivo*	aie été, aies été, ait été; ayons été, ayez été, aient été
Pret. Plus. *Subjuntivo*	eusse été, eusses été, eût été; eussions été, eussiez été, eussent été
Imperativo	sois, soyons, soyez

Presente *Indicativo*	étudie, étudies, étudie; étudions, étudiez, étudient	*estudiar*
Pret. Imp. *Indicativo*	étudiais, étudiais, étudiait; étudiions, étudiiez, étudiaient	
Pret. Indef. *Indicativo*	étudiai, étudias, étudia; étudiâmes, étudiâtes, étudièrent	
Fut. Imp. *Indicativo*	étudierai, étudieras, étudiera; étudierons, étudierez, étudieront	
Potencial *Simple*	étudierais, étudierais, étudierait; étudierions, étudieriez, étudieraient	
Presente *Subjuntivo*	étudie, étudies, étudie; étudiions, étudiiez, étudient	
Pret. Imp. *Subjuntivo*	étudiasse, étudiasses, étudiât; étudiassions, étudiassiez, étudiassent	
Pret. Perf. *Indicativo*	ai étudié, as étudié, a étudié; avons étudié, avez étudié, ont étudié	
Pret. Plus. *Indicativo*	avais étudié, avais étudié, avait étudié; avions étudié, aviez étudié, avaient étudié	
Pretérito *Anterior*	eus étudié, eus étudié, eut étudié; eûmes étudié, eûtes étudié, eurent étudié	
Fut. Perf. *Indicativo*	aurai étudié, auras étudié, aura étudié; aurons étudié, aurez étudié, auront étudié	
Potencial *Perfecto*	aurais étudié, aurais étudié, aurait étudié; aurions étudié, auriez étudié, auraient étudié	
Pret. Perf. *Subjuntivo*	aie étudié, aies étudié, ait étudié; ayons étudié, ayez étudié, aient étudié	
Pret. Plus. *Subjuntivo*	eusse étudié, eusses étudié, eût étudié; eussions étudié, eussiez étudié, eussent étudié	
Imperativo	étudie, étudions, étudiez	

se fâcher

Presente *Indicativo*	me fâche, te fâches, se fâche; nous fâchons, vous fâchez, se fâchent	*enfadarse*

Pret. Imp. me fâchais, te fâchais, se fâchait;
Indicativo nous fâchions, vous fâchiez, se fâchaient

Pret. Indef. me fâchai, te fâchas, se fâcha;
Indicativo nous fâchâmes, vous fâchâtes, se fâchèrent

Fut. Imp. me fâcherai, te fâcheras, se fâchera;
Indicativo nous fâcherons, vous fâcherez, se fâcheront

Potencial me fâcherais, te fâcherais, se fâcherait;
Simple nous fâcherions, vous fâcheriez, se fâcheraient

Presente me fâche, te fâches, se fâche;
Subjuntivo nous fâchions, vous fâchiez, se fâchent

Pret. Imp. me fâchasse, te fâchasses, se fâchât;
Subjuntivo nous fâchassions, vous fâchassiez, se fâchassent

Pret. Perf. me suis fâché(e), t'es fâché(e), s'est fâché(e);
Indicativo nous sommes fâché(e)s, vous êtes fâché(e)(s), se sont fâché(e)s

Pret. Plus. m'étais fâché(e), t'étais fâché(e), s'était fâché(e);
Indicativo nous étions fâché(e)s, vous étiez fâché(e)(s), s'étaient fâché(e)s

Pretérito me fus fâché(e), te fus fâché(e), se fut fâché(e);
Anterior nous fûmes fâché(e)s, vous fûtes fâché(e)(s), se furent fâché(e)s

Fut. Perf. me serai fâché(e), te seras fâché(e), se sera fâché(e);
Indicativo nous serons fâché(e)s, vous serez fâché(e)(s), se seront fâché(e)s

Potencial me serais fâché(e), te serais fâché(e), se serait fâché(e);
Perfecto nous serions fâché(e)s, vous seriez fâché(e)(s), se seraient fâché(e)s

Pret. Perf. me sois fâché(e), te sois fâché(e), se soit fâché(e);
Subjuntivo nous soyons fâché(e)s, vous soyez fâché(e)(s), se soient fâché(e)s

Pret. Plus. me fusse fâché(e), te fusses fâché(e), se fût fâché(e);
Subjuntivo nous fussions fâché(e)s, vous fussiez fâché(e)(s), se fussent fâché(e)s

Imperativo fâche-toi, fâchons-nous, fâchez-vous

Presente *Indicativo*	faux, faux, faut; faillons, faillez, faillent	
		faltar,
Pret. Imp. *Indicativo*	faillais, faillais, faillait; faillions, failliez, faillaient	*estar a punto de*
Pret. Indef. *Indicativo*	faillis, faillis, faillit; faillîmes, faillîtes, faillirent	
Fut. Imp. *Indicativo*	faillirai, failliras, faillira; faillirons, faillirez, failliront	O: faudrai, faudras, faudra; faudrons, faudrez, faudront
Potencial *Simple*	faillirais, faillirais, faillirait; faillirions, failliriez, failliraient	O: faudrais, faudrais, faudrait; faudrions, faudriez, faudraient
Presente *Subjuntivo*	faille, failles, faille; faillions, failliez, faillent	
Pret. Imp. *Subjuntivo*	faillisse, faillisses, faillît; faillissions, faillissiez, faillissent	
Pret. Perf. *Indicativo*	ai failli, as failli, a failli; avons failli, avez failli, ont failli	
Pret. Plus. *Indicativo*	avais failli, avais failli, avait failli; avions failli, aviez failli, avaient failli	
Pretérito *Anterior*	eus failli, eus failli, eut failli; eûmes failli, eûtes failli, eurent failli	
Fut. Perf. *Indicativo*	aurai failli, auras failli, aura failli; aurons failli, aurez failli, auront failli	
Potencial *Perfecto*	aurais failli, aurais failli, aurait failli; aurions failli, auriez failli, auraient failli	
Pret. Perf. *Subjuntivo*	aie failli, aies failli, ait failli; ayons failli, ayez failli, aient failli	
Pret. Plus. *Subjuntivo*	eusse failli, eusses failli, eût failli; eussions failli, eussiez failli, eussent failli	
Imperativo	——	

Presente *Indicativo*	fais, fais, fait; faisons, faites, font	*hacer*
Pret. Imp. *Indicativo*	faisais, faisais, faisait; faisions, faisiez, faisaient	
Pret. Indef. *Indicativo*	fis, fis, fit; fîmes, fîtes, firent	
Fut. Imp. *Indicativo*	ferai, feras, fera; ferons, ferez, feront	
Potencial *Simple*	ferais, ferais, ferait; ferions, feriez, feraient	
Presente *Subjuntivo*	fasse, fasses, fasse; fassions, fassiez, fassent	
Pret. Imp. *Subjuntivo*	fisse, fisses, fît; fissions, fissiez, fissent	
Pret. Perf. *Indicativo*	ai fait, as fait, a fait; avons fait, avez fait, ont fait	
Pret. Plus. *Indicativo*	avais fait, avais fait, avait fait; avions fait, aviez fait, avaient fait	
Pretérito *Anterior*	eus fait, eus fait, eut fait; eûmes fait, eûtes fait, eurent fait	
Fut. Perf. *Indicativo*	aurai fait, auras fait, aura fait; aurons fait, aurez fait, auront fait	
Potencial *Perfecto*	aurais fait, aurais fait, aurait fait; aurions fait, auriez fait, auraient fait	
Pret. Perf. *Subjuntivo*	aie fait, aies fait, ait fait; ayons fait, ayez fait, aient fait	
Pret. Plus. *Subjuntivo*	eusse fait, eusses fait, eût fait; eussions fait, eussiez fait, eussent fait	
Imperativo	fais, faisons, faites	

falloir

Presente *Indicativo*	il faut
Pret. Imp. *Indicativo*	il fallait
Pret. Indef. *Indicativo*	il fallut
Fut. Imp. *Indicativo*	il faudra
Potencial *Simple*	il faudrait
Presente *Subjuntivo*	qu'il faille
Pret. Imp. *Subjuntivo*	qu'il fallût
Pret. Perf. *Indicativo*	il a fallu
Pret. Plus. *Indicativo*	il avait fallu
Pretérito *Anterior*	il eut fallu
Fut. Perf. *Indicativo*	il aura fallu
Potencial *Perfecto*	il aurait fallu
Pret. Perf. *Subjuntivo*	qu'il ait fallu
Pret. Plus. *Subjuntivo*	qu'il eût fallu
Imperativo	[no se emplea]

haber que,
hacer falta,
ser necesario,
ser preciso,
tener que

Presente *Indicativo*	finis, finis, finit; finissons, finissez, finissent
Pret. Imp. *Indicativo*	finissais, finissais, finissait; finissions, finissiez, finissaient
Pret. Indef. *Indicativo*	finis, finis, finit; finîmes, finîtes, finirent
Fut. Imp. *Indicativo*	finirai, finiras, finira; finirons, finirez, finiront
Potencial *Simple*	finirais, finirais, finirait; finirions, finiriez, finiraient
Presente *Subjuntivo*	finisse, finisses, finisse; finissions, finissiez, finissent
Pret. Imp. *Subjuntivo*	finisse, finisses, finît; finissions, finissiez, finissent
Pret. Perf. *Indicativo*	ai fini, as fini, a fini; avons fini, avez fini, ont fini
Pret. Plus. *Indicativo*	avais fini, avais fini, avait fini; avions fini, aviez fini, avaient fini
Pretérito *Anterior*	eus fini, eus fini, eut fini; eûmes fini, eûtes fini, eurent fini
Fut. Perf. *Indicativo*	aurai fini, auras fini, aura fini; aurons fini, aurez fini, auront fini
Potencial *Perfecto*	aurais fini, aurais fini, aurait fini; aurions fini, auriez fini, auraient fini
Pret. Perf. *Subjuntivo*	aie fini, aies fini, ait fini; ayons fini, ayez fini, aient fini
Pret. Plus. *Subjuntivo*	eusse fini, eusses fini, eût fini; eussions fini, eussiez fini, eussent fini
Imperativo	finis, finissons, finissez

acabar,
terminar

Presente	fuis, fuis, fuit;	
Indicativo	fuyons, fuyez, fuient	*huir,*
Pret. Imp.	fuyais, fuyais, fuyait;	*escapar*
Indicativo	fuyions, fuyiez, fuyaient	
Pret. Indef.	fuis, fuis, fuit;	
Indicativo	fuîmes, fuîtes, fuirent	
Fut. Imp.	fuirai, fuiras, fuira;	
Indicativo	fuirons, fuirez, fuiront	
Potencial	fuirais, fuirais, fuirait;	
Simple	fuirions, fuiriez, fuiraient	
Presente	fuie, fuies, fuie;	
Subjuntivo	fuyions, fuyiez, fuient	
Pret. Imp.	fuisse, fuisses, fuît;	
Subjuntivo	fuissions, fuissiez, fuissent	
Pret. Perf.	ai fui, as fui, a fui;	
Indicativo	avons fui, avez fui, ont fui	
Pret. Plus.	avais fui, avais fui, avait fui;	
Indicativo	avions fui, aviez fui, avaient fui	
Pretérito	eus fui, eus fui, eut fui;	
Anterior	eûmes fui, eûtes fui, eurent fui	
Fut. Perf.	aurai fuí, auras fui, aura fui;	
Indicativo	aurons fui, aurez fui, auront fui	
Potencial	aurais fui, aurais fui, aurait fui;	
Perfecto	aurions fui, auriez fui, auraient fui	
Pret. Perf.	aie fui, aies fui, ait fui;	
Subjuntivo	ayons fui, ayez fui, aient fui	
Pret. Plus.	eusse fui, eusses fui, eût fui;	
Subjuntivo	eussions fui, eussiez fui, eussent fui	
Imperativo	fuis, fuyons, fuyez	

Presente *Indicativo*	gagne, gagnes, gagne; gagnons, gagnez, gagnent	
Pret. Imp. *Indicativo*	gagnais, gagnais, gagnait; gagnions, gagniez, gagnaient	
Pret. Indef. *Indicativo*	gagnai, gagnas, gagna; gagnâmes, gagnâtes, gagnèrent	
Fut. Imp. *Indicativo*	gagnerai, gagneras, gagnera; gagnerons, gagnerez, gagneront	
Potencial *Simple*	gagnerais, gagnerais, gagnerait; gagnerions, gagneriez, gagneraient	
Presente *Subjuntivo*	gagne, gagnes, gagne; gagnions, gagniez, gagnent	
Pret. Imp. *Subjuntivo*	gagnasse, gagnasses, gagnât; gagnassions, gagnassiez, gagnassent	
Pret. Perf. *Indicativo*	ai gagné, as gagné, a gagné; avons gagné, avez gagné, ont gagné	
Pret. Plus. *Indicativo*	avais gagné, avais gagné, avait gagné; avions gagné, aviez gagné, avaient gagné	
Pretérito *Anterior*	eus gagné, eus gagné, eut gagné; eûmes gagné, eûtes gagné, eurent gagné	
Fut. Perf. *Indicativo*	aurai gagné, auras gagné, aura gagné; aurons gagné, aurez gagné, auront gagné	
Potencial *Perfecto*	aurais gagné, aurais gagné, aurait gagné; aurions gagné, auriez gagné, auraient gagné	
Pret. Perf. *Subjuntivo*	aie gagné, aies gagné, ait gagné; ayons gagné, ayez gagné, aient gagné	
Pret. Plus. *Subjuntivo*	eusse gagné, eusses gagné, eût gagné; eussions gagné, eussiez gagné, eussent gagné	
Imperativo	gagne, gagnons, gagnez	

ganar

Presente *Indicativo*	goûte, goûtes, goûte; goûtons, goûtez, goûtent	
Pret. Imp. *Indicativo*	goûtais, goûtais, goûtait; goûtions, goûtiez, goûtaient	*paladear,* *merendar,* *gustar de*
Pret. Indef. *Indicativo*	goûtai, goûtas, goûta; goûtâmes, goûtâtes, goûtèrent	
Fut. Imp. *Indicativo*	goûterai, goûteras, goûtera; goûterons, goûterez, goûteront	
Potencial *Simple*	goûterais, goûterais, goûterait; goûterions, goûteriez, goûteraient	
Presente *Subjuntivo*	goûte, goûtes, goûte; goûtions, goûtiez, goûtent	
Pret. Imp. *Subjuntivo*	goûtasse, goûtasses, goûtât; goûtassions, goûtassiez, goûtassent	
Pret. Perf. *Indicativo*	ai goûté, as goûté, a goûté; avons goûté, avez goûté, ont goûté	
Pret. Plus. *Indicativo*	avais goûté, avais goûté, avait goûté; avions goûté, aviez goûté, avaient goûté	
Pretérito *Anterior*	eus goûté, eus goûté, eut goûté; eûmes goûté, eûtes goûté, eurent goûté	
Fut. Perf. *Indicativo*	aurai goûté, auras goûté, aura goûté; aurons goûté, aurez goûté, auront goûté	
Potencial *Perfecto*	aurais goûté, aurais goûté, aurait goûté; aurions goûté, auriez goûté, auraient goûté	
Pret. Perf. *Subjuntivo*	aie goûté, aies goûté, ait goûté; ayons goûté, ayez goûté, aient goûté	
Pret. Plus. *Subjuntivo*	eusse goûté, eusses goûté, eût goûté; eussions goûté, eussiez goûté, eussent goûté	
Imperativo	goûte, goûtons, goûtez	

Presente	guéris, guéris, guérit;	
Indicativo	guérissons, guérissez, guérissent	*curar*
Pret. Imp.	guérissais, guérissais, guérissait;	
Indicativo	guérissions, guérissiez, guérissaient	
Pret. Indef.	guéris, guéris, guérit;	
Indicativo	guérîmes, guérîtes, guérirent	
Fut. Imp.	guérirai, guériras, guérira;	
Indicativo	guérirons, guérirez, guériront	
Potencial	guérirais, guérirais, guérirait;	
Simple	guéririons, guéririez, guériraient	
Presente	guérisse, guérisses, guérisse;	
Subjuntivo	guérissions, guérissiez, guérissent	
Pret. Imp.	guérisse, guérisses, guérît;	
Subjuntivo	guérissions, guérissiez, guérissent	
Pret. Perf.	ai guéri, as guéri, a guéri;	
Indicativo	avons guéri, avez guéri, ont guéri	
Pret. Plus.	avais guéri, avais guéri, avait guéri;	
Indicativo	avions guéri, aviez guéri, avaient guéri	
Pretérito	eus guéri, eus guéri, eut guéri;	
Anterior	eûmes guéri, eûtes guéri, eurent guéri	
Fut. Perf.	aurai guéri, auras guéri, aura guéri;	
Indicativo	aurons guéri, aurez guéri, auront guéri	
Potencial	aurais guéri, aurais guéri, aurait guéri;	
Perfecto	aurions guéri, auriez guéri, auraient guéri	
Pret. Perf.	aie guéri, aies guéri, ait guéri;	
Subjuntivo	ayons guéri, ayez guéri, aient guéri	
Pret. Plus.	eusse guéri, eusses guéri, eût guéri;	
Subjuntivo	eussions guéri, eussiez guéri, eussent guéri	
Imperativo	guéris, guérissons, guérissez	

Presente	m'habille, t'habilles, s'habille;	
Indicativo	nous habillons, vous habillez, s'habillent	*vestirse*

Pret. Imp. m'habillais, t'habillais, s'habillait;
Indicativo nous habillions, vous habilliez, s'habillaient

Pret. Indef. m'habillai, t'habillas, s'habilla;
Indicativo nous habillâmes, vous habillâtes, s'habillèrent

Fut. Imp. m'habillerai, t'habilleras, s'habillera;
Indicativo nous habillerons, vous habillerez, s'habilleront

Potencial m'habillerais, t'habillerais, s'habillerait;
Simple nous habillerions, vous habilleriez, s'habilleraient

Presente m'habille, t'habilles, s'habille;
Subjuntivo nous habillions, vous habilliez, s'habillent

Pret. Imp. m'habillasse, t'habillasses, s'habillât;
Subjuntivo nous habillassions, vous habillassiez, s'habillassent

Pret. Perf. me suis habillé(e), t'es habillé(e), s'est habillé(e);
Indicativo nous sommes habillé(e)s, vous êtes habillé(e)(s), se sont habillé(e)s

Pret. Plus. m'étais habillé(e), t'étais habillé(e), s'était habillé(e);
Indicativo nous étions habillé(e)s, vous étiez habillé(e)(s), s'étaient habillé(e)s

Pretérito me fus habillé(e), te fus habillé(e), se fut habillé(e);
Anterior nous fûmes habillé(e)s, vous fûtes habillé(e)(s), se furent habillé(e)s

Fut. Perf. me serai habillé(e), te seras habillé(e), se sera habillé(e);
Indicativo nous serons habillé(e)s, vous serez habillé(e)(s), se seront habillé(e)s

Potencial me serais habillé(e), te serais habillé(e), se serait habillé(e);
Perfecto nous serions habillé(e)s, vous seriez habillé(e)(s), se seraient habillé(e)s

Pret. Perf. me sois habillé(e), te sois habillé(e), se soit habillé(e);
Subjuntivo nous soyons habillé(e)s, vous soyez habillé(e)(s), se soient habillé(e)s

Pret. Plus. me fusse habillé(e), te fusses habillé(e), se fût habillé(e);
Subjuntivo nous fussions habillé(e)s, vous fussiez habillé(e)(s), se fussent habillé(e)s

Imperativo habille-toi, habillons-nous, habillez-vous

habiter

Presente *Indicativo*	habite, habites, habite; habitons, habitez, habitent
Pret. Imp. *Indicativo*	habitais, habitais, habitait; habitions, habitiez, habitaient
Pret. Indef. *Indicativo*	habitai, habitas, habita; habitâmes, habitâtes, habitèrent
Fut. Imp. *Indicativo*	habiterai, habiteras, habitera; habiterons, habiterez, habiteront
Potencial *Simple*	habiterais, habiterais, habiterait; habiterions, habiteriez, habiteraient
Presente *Subjuntivo*	habite, habites, habite; habitions, habitiez, habitent
Pret. Imp. *Subjuntivo*	habitasse, habitasses, habitât; habitassions, habitassiez, habitassent
Pret. Perf. *Indicativo*	ai habité, as habité, a habité; avons habité, avez habité, ont habité
Pret. Plus. *Indicativo*	avais habité, avais habité, avait habité; avions habité, aviez habité, avaient habité
Pretérito *Anterior*	eus habité, eus habité, eut habité; eûmes habité, eûtes habité, eurent habité
Fut. Perf. *Indicativo*	aurai habité, auras habité, aura habité; aurons habité, aurez habité, auront habité
Potencial *Perfecto*	aurais habité, aurais habité, aurait habité; aurions habité, auriez habité, auraient habité
Pret. Perf. *Subjuntivo*	aie habité, aies habité, ait habité; ayons habité, ayez habité, aient habité
Pret. Plus. *Subjuntivo*	eusse habité, eusses habité, eût habité; eussions habité, eussiez habité, eussent habité
Imperativo	habite, habitons, habitez

**habitar,
morar**

Presente *Indicativo*	hais, hais, hait; haïssons, haïssez, haïssent	*odiar,* *aborrecer*
Pret. Imp. *Indicativo*	haïssais, haïssais, haïssait; haïssions, haïssiez, haïssaient	
Pret. Indef. *Indicativo*	haïs, haïs, haït; haïmes, haïtes, haïrent	
Fut. Imp. *Indicativo*	haïrai, haïras, haïra; haïrons, haïrez, haïront	
Potencial *Simple*	haïrais, haïrais, haïrait; haïrions, haïriez, haïraient	
Presente *Subjuntivo*	haïsse, haïsses, haïsse; haïssions, haïssiez, haïssent	
Pret. Imp. *Subjuntivo*	haïsse, haïsses, haït; haïssions, haïssiez, haïssent	
Pret. Perf. *Indicativo*	ai haï, as haï, a haï; avons haï, avez haï, ont haï	
Pret. Plus. *Indicativo*	avais haï, avais haï, avait haï; avions haï, aviez haï, avaient haï	
Pretérito *Anterior*	eus haï, eus haï, eut haï; eûmes haï, eûtes haï, eurent haï	
Fut. Perf. *Indicativo*	aurai haï, auras haï, aura haï; aurons haï, aurez haï, auront haï	
Potencial *Perfecto*	aurais haï, aurais haï, aurait haï; aurions haï, auriez haï, auraient haï	
Pret. Perf. *Subjuntivo*	aie haï, aies haï, ait haï; ayons haï, ayez haï, aient haï	
Pret. Plus. *Subjuntivo*	eusse haï, eusses haï, eût haï; eussions haï, eussiez haï, eussent haï	
Imperativo	hais, haïssons, haïssez	

interroger

Presente *Indicativo*	interroge, interroges, interroge; interrogeons, interrogez, interrogent
Pret. Imp. *Indicativo*	interrogeais, interrogeais, interrogeait; interrogions, interrogiéz, interrogeaient
Pret. Indef. *Indicativo*	interrogeai, interrogeas, interrogea; interrogeâmes, interrogeâtes, interrogèrent
Fut. Imp. *Indicativo*	interrogerai, interrogeras, interrogera; interrogerons, interrogerez, interrogeront
Potencial *Simple*	interrogerais, interrogerais, interrogerait; interrogerions, interrogeriez, interrogeraient
Presente *Subjuntivo*	interroge, interroges, interroge; interrogions, interrogiez, interrogent
Pret. Imp. *Subjuntivo*	interrogeasse, interrogeasses, interrogeât; interrogeassions, interrogeassiez, interrogeassent
Pret. Perf. *Indicativo*	ai interrogé, as interrogé, a interrogé; avons interrogé, avez interrogé, ont interrogé
Pret. Plus. *Indicativo*	avais interrogé, avais interrogé, avait interrogé; avions interrogé, aviez interrogé, avaient interrogé
Pretérito *Anterior*	eus interrogé, eus interrogé, eut interrogé; eûmes interrogé, eûtes interrogé, eurent interrogé
Fut. Perf. *Indicativo*	aurai interrogé, auras interrogé, aura interrogé; aurons interrogé, aurez interrogé, auront interrogé
Potencial *Perfecto*	aurais interrogé, aurais interrogé, aurait interrogé; aurions interrogé, auriez interrogé, auraient interrogé
Pret. Perf. *Subjuntivo*	aie interrogé, aies interrogé, ait interrogé; ayons interrogé, ayez interrogé, aient interrogé
Pret. Plus. *Subjuntivo*	eusse interrogé, eusses interrogé, eût interrogé; eussions interrogé, eussiez interrogé, eussent interrogé
Imperativo	interroge, interrogeons, interrogez

interrogar,
preguntar

GERUNDIO *interrompant* PARTICIPIO *interrompu*

interrompre

Presente *Indicativo*	interromps, interromps, interrompt; interrompons, interrompez, interrompent	*interrumpir*
Pret. Imp. *Indicativo*	interrompais, interrompais, interrompait; interrompions, interrompiez, interrompaient	
Pret. Indef. *Indicativo*	interrompis, interrompis, interrompit; interrompîmes, interrompîtes, interrompirent	
Fut. Imp. *Indicativo*	interromprai, interrompras, interrompra; interromprons, interromprez, interrompront	
Potencial *Simple*	interromprais, interromprais, interromprait; interromprions, interrompriez, interrompraient	
Presente *Subjuntivo*	interrompe, interrompes, interrompe; interrompions, interrompiez, interrompent	
Pret. Imp. *Subjuntivo*	interrompisse, interrompisses, interrompît; interrompissions, interrompissiez, interrompissent	
Pret. Perf. *Indicativo*	ai interrompu, as interrompu, a interrompu; avons interrompu, avez interrompu, ont interrompu	
Pret. Plus. *Indicativo*	avais interrompu, avais interrompu, avait interrompu; avions interrompu, aviez interrompu, avaient interrompu	
Pretérito *Anterior*	eus interrompu, eus interrompu, eut interrompu; eûmes interrompu, eûtes interrompu, eurent interrompu	
Fut. Perf. *Indicativo*	aurai interrompu, auras interrompu, aura interrompu; aurons interrompu, aurez interrompu, auront interrompu	
Potencial *Perfecto*	aurais interrompu, aurais interrompu, aurait interrompu; aurions interrompu, auriez interrompu, auraient interrompu	
Pret. Perf. *Subjuntivo*	aie interrompu, aies interrompu, ait interrompu; ayons interrompu, ayez interrompu, aient interrompu	
Pret. Plus. *Subjuntivo*	eusse interrompu, eusses interrompu, eût interrompu; eussions interrompu, eussiez interrompu, eussent interrompu	
Imperativo	interromps, interrompons, interrompez	

106

Presente *Indicativo*	jette, jettes, jette; jetons, jetez, jettent	*echar,* *lanzar*
Pret. Imp. *Indicativo*	jetais, jetais, jetait; jetions, jetiez, jetaient	
Pret. Indef. *Indicativo*	jetai, jetas, jeta; jetâmes, jetâtes, jetèrent	
Fut. Imp. *Indicativo*	jetterai, jetteras, jettera; jetterons, jetterez, jetteront	
Potencial *Simple*	jetterais, jetterais, jetterait; jetterions, jetteriez, jetteraient	
Presente *Subjuntivo*	jette, jettes, jette; jetions, jetiez, jettent	
Pret. Imp. *Subjuntivo*	jetasse, jetasses, jetât; jetassions, jetassiez, jetassent	
Pret. Perf. *Indicativo*	ai jeté, as jeté, a jeté; avons jeté, avez jeté, ont jeté	
Pret. Plus. *Indicativo*	avais jeté, avais jeté, avait jeté; avions jeté, aviez jeté, avaient jeté	
Pretérito *Anterior*	eus jeté, eus jeté, eut jeté; eûmes jeté, eûtes jeté, eurent jeté	
Fut. Perf. *Indicativo*	aurai jeté, auras jeté, aura jeté; aurons jeté, aurez jeté, auront jeté	
Potencial *Perfecto*	aurais jeté, aurais jeté, aurait jeté; aurions jeté, auriez jeté, auraient jeté	
Pret. Perf. *Subjuntivo*	aie jeté, aies jeté, ait jeté; ayons jeté, ayez jeté, aient jeté	
Pret. Plus. *Subjuntivo*	eusse jeté, eusses jeté, eût jeté; eussions jeté, eussiez jeté, eussent jeté	
Imperativo	jette, jetons, jetez	

Presente *Indicativo*	joins, joins, joint; joignons, joignez, joignent	*juntar,* *unir*
Pret. Imp. *Indicativo*	joignais, joignais, joignait; joignions, joigniez, joignaient	
Pret. Indef. *Indicativo*	joignis, joignis, joignit; joignîmes, joignîtes, joignirent	
Fut. Imp. *Indicativo*	joindrai, joindras, joindra; joindrons, joindrez, joindront	
Potencial *Simple*	joindrais, joindrais, joindrait; joindrions, joindriez, joindraient	
Presente *Subjuntivo*	joigne, joignes, joigne; joignions, joigniez, joignent	
Pret. Imp. *Subjuntivo*	joignisse, joignisses, joignît; joignissions, joignissiez, joignissent	
Pret. Perf. *Indicativo*	ai joint, as joint, a joint; avons joint, avez joint, ont joint	
Pret. Plus. *Indicativo*	avais joint, avais joint, avait joint; avions joint, aviez joint, avaient joint	
Pretérito *Anterior*	eus joint, eus joint, eut joint; eûmes joint, eûtes joint, eurent joint	
Fut. Perf. *Indicativo*	aurai joint, auras joint, aura joint; aurons joint, aurez joint, auront joint	
Potencial *Perfecto*	aurais joint, aurais joint, aurait joint; aurions joint, auriez joint, auraient joint	
Pret. Perf. *Subjuntivo*	aie joint, aies joint, ait joint; ayons joint, ayez joint, aient joint	
Pret. Plus. *Subjuntivo*	eusse joint, eusses joint, eût joint; eussions joint, eussiez joint, eussent joint	
Imperativo	joins, joignons, joignez	

Presente *Indicativo*	joue, joues, joue; jouons, jouez, jouent
Pret. Imp. *Indicativo*	jouais, jouais, jouait; jouions, jouiez, jouaient
Pret. Indef. *Indicativo*	jouai, jouas, joua; jouâmes, jouâtes, jouèrent
Fut. Imp. *Indicativo*	jouerai, joueras, jouera; jouerons, jouerez, joueront
Potencial *Simple*	jouerais, jouerais, jouerait; jouerions, joueriez, joueraient
Presente *Subjuntivo*	joue, joues, joue; jouions, jouiez, jouent
Pret. Imp. *Subjuntivo*	jouasse, jouasses, jouât; jouassions, jouassiez, jouassent
Pret. Perf. *Indicativo*	ai joué, as joué, a joué; avons joué, avez joué, ont joué
Pret. Plus. *Indicativo*	avais joué, avais joué, avait joué; avions joué, aviez joué, avaient joué
Pretérito *Anterior*	eus joué, eus joué, eut joué; eûmes joué, eûtes joué, eurent joué
Fut. Perf. *Indicativo*	aurai joué, auras joué, aura joué; aurons joué, aurez joué, auront joué
Potencial *Perfecto*	aurais joué, aurais joué, aurait joué; aurions joué, auriez joué, auraient joué
Pret. Perf. *Subjuntivo*	aie joué, aies joué, ait joué; ayons joué, ayez joué, aient joué
Pret. Plus. *Subjuntivo*	eusse joué, eusses joué, eût joué; eussions joué, eussiez joué, eussent joué
Imperativo	joue, jouons, jouez

jugar,
tocar (un
instrumento
musical)

Presente *Indicativo*	juge, juges, juge; jugeons, jugez, jugent
Pret. Imp. *Indicativo*	jugeais, jugeais, jugeait; jugions, jugiez, jugeaient
Pret. Indef. *Indicativo*	jugeai, jugeas, jugea; jugeâmes, jugeâtes, jugèrent
Fut. Imp. *Indicativo*	jugerai, jugeras, jugera; jugerons, jugerez, jugeront
Potencial *Simple*	jugerais, jugerais, jugerait; jugerions, jugeriez, jugeraient
Presente *Subjuntivo*	juge, juges, juge; jugions, jugiez, jugent
Pret. Imp. *Subjuntivo*	jugeasse, jugeasses, jugeât; jugeassions, jugeassiez, jugeassent
Pret. Perf. *Indicativo*	ai jugé, as jugé, a jugé; avons jugé, avez jugé, ont jugé
Pret. Plus. *Indicativo*	avais jugé, avais jugé, avait jugé; avions jugé, aviez jugé, avaient jugé
Pretérito *Anterior*	eus jugé, eus jugé, eut jugé; eûmes jugé, eûtes jugé, eurent jugé
Fut. Perf. *Indicativo*	aurai jugé, auras jugé, aura jugé; aurons jugé, aurez jugé, auront jugé
Potencial *Perfecto*	aurais jugé, aurais jugé, aurait jugé; aurions jugé, auriez jugé, auraient jugé
Pret. Perf. *Subjuntivo*	aie jugé, aies jugé, ait jugé; ayons jugé, ayez jugé, aient jugé
Pret. Plus. *Subjuntivo*	eusse jugé, eusses jugé, eût jugé; eussions jugé, eussiez jugé, eussent jugé
Imperativo	juge, jugeons, jugez

juzgar

Presente *Indicativo*	laisse, laisses, laisse; laissons, laissez, laissent	*dejar*
Pret. Imp. *Indicativo*	laissais, laissais, laissait; laissions, laissiez, laissaient	
Pret. Indef. *Indicativo*	laissai, laissas, laissa; laissâmes, laissâtes, laissèrent	
Fut. Imp. *Indicativo*	laisserai, laisseras, laissera; laisserons, laisserez, laisseront	
Potencial *Simple*	laisserais, laisserais, laisserait; laisserions, laisseriez, laisseraient	
Presente *Subjuntivo*	laisse, laisses, laisse; laissions, laissiez, laissent	
Pret. Imp. *Subjuntivo*	laissasse, laissasses, laissât; laissassions, laissassiez, laissassent	
Pret. Perf. *Indicativo*	ai laissé, as laissé, a laissé; avons laissé, avez laissé, ont laissé	
Pret. Plus. *Indicativo*	avais laissé, avais laissé, avait laissé; avions laissé, aviez laissé, avaient laissé	
Pretérito *Anterior*	eus laissé, eus laissé, eut laissé; eûmes laissé, eûtes laissé, eurent laissé	
Fut. Perf. *Indicativo*	aurai laissé, auras laissé, aura laissé; aurons laissé, aurez laissé, auront laissé	
Potencial *Perfecto*	aurais laissé, aurais laissé, aurait laissé; aurions laissé, auriez laissé, auraient laissé	
Pret. Perf. *Subjuntivo*	aie laissé, aies laissé, ait laissé; ayons laissé, ayez laissé, aient laissé	
Pret. Plus. *Subjuntivo*	eusse laissé, eusses laissé, eût laissé; eussions laissé, eussiez laissé, eussent laissé	
Imperativo	laisse, laissons, laissez	

Presente *Indicativo*	me lave, te laves, se lave; nous lavons, vous lavez, se lavent

lavarse

Pret. Imp. *Indicativo*	me lavais, te lavais, se lavait; nous lavions, vous laviez, se lavaient
Pret. Indef. *Indicativo*	me lavai, te lavas, se lava; nous lavâmes, vous lavâtes, se lavèrent
Fut. Imp. *Indicativo*	me laverai, te laveras, se lavera; nous laverons, vous laverez, se laveront
Potencial *Simple*	me laverais, te laverais, se laverait; nous laverions, vous laveriez, se laveraient
Presente *Subjuntivo*	me lave, te laves, se lave; nous lavions, vous laviez, se lavent
Pret. Imp. *Subjuntivo*	me lavasse, te lavasses, se lavât; nous lavassions, vous lavassiez, se lavassent
Pret. Perf. *Indicativo*	me suis lavé(e), t'es lavé(e), s'est lavé(e); nous sommes lavé(e)s, vous êtes lavé(e)(s), se sont lavé(e)s
Pret. Plus. *Indicativo*	m'étais lavé(e), t'étais lavé(e), s'était lavé(e); nous étions lavé(e)s, vous étiez lavé(e)(s), s'étaient lavé(e)s
Pretérito *Anterior*	me fus lavé(e), te fus lavé(e), se fut lavé(e); nous fûmes lavé(e)s, vous fûtes lavé(e)(s), se furent lavé(e)s
Fut. Perf. *Indicativo*	me serai lavé(e), te seras lavé(e), se sera lavé(e); nous serons lavé(e)s, vous serez lavé(e)(s), se seront lavé(e)s
Potencial *Perfecto*	me serais lavé(e), te serais lavé(e), se serait lavé(e); nous serions lavé(e)s, vous seriez lavé(e)(s), se seraient lavé(e)s
Pret. Perf. *Subjuntivo*	me sois lavé(e), te sois lavé(e), se soit lavé(e); nous soyons lavé(e)s, vous soyez lavé(e)(s), se soient lavé(e)s
Pret. Plus. *Subjuntivo*	me fusse lavé(e), te fusses lavé(e), se fût lavé(e); nous fussions lavé(e)s, vous fussiez lavé(e)(s), se fussent lavé(e)s
Imperativo	lave-toi, lavons-nous, lavez-vous

Presente *Indicativo*	me lève, te lèves, se lève; nous levons, vous levez, se lèvent	*levantarse*
Pret. Imp. *Indicativo*	me levais, te levais, se levait; nous levions, vous leviez, se levaient	
Pret. Indef. *Indicativo*	me levai, te levas, se leva; nous levâmes, vous levâtes, se levèrent	
Fut. Imp. *Indicativo*	me lèverai, te lèveras, se lèvera; nous lèverons, vous lèverez, se lèveront	
Potencial *Simple*	me lèverais, te lèverais, se lèverait; nous lèverions, vous lèveriez, se lèveraient	
Presente *Subjuntivo*	me lève, te lèves, se lève; nous levions, vous leviez, se lèvent	
Pret. Imp. *Subjuntivo*	me levasse, te levasses, se levât; nous levassions, vous levassiez, se levassent	
Pret. Perf. *Indicativo*	me suis levé(e), t'es levé(e), s'est levé(e); nous sommes levé(e)s, vous êtes levé(e)(s), se sont levé(e)s	
Pret. Plus. *Indicativo*	m'étais levé(e), t'étais levé(e), s'était levé(e); nous étions levé(e)s, vous étiez levé(e)(s), s'étaient levé(e)s	
Pretérito *Anterior*	me fus levé(e), te fus levé(e), se fut levé(e); nous fûmes levé(e)s, vous fûtes levé(e)(s), se furent levé(e)s	
Fut. Perf. *Indicativo*	me serai levé(e), te seras levé(e), se sera levé(e); nous serons levé(e)s, vous serez levé(e)(s), se seront levé(e)s	
Potencial *Perfecto*	me serais levé(e), te serais levé(e), se serait levé(e); nous serions levé(e)s, vous seriez levé(e)(s), se seraient levé(e)s	
Pret. Perf. *Subjuntivo*	me sois levé(e), te sois levé(e), se soit levé(e); nous soyons levé(e)s, vous soyez levé(e)(s), se soient levé(e)s	
Pret. Plus. *Subjuntivo*	me fusse levé(e), te fusses levé(e), se fût levé(e); nous fussions levé(e)s, vous fussiez levé(e)(s), se fussent levé(e)s	
Imperativo	lève-toi, levons-nous, levez-vous	

Presente *Indicativo*	lis, lis, lit; lisons, lisez, lisent	*leer*
Pret. Imp. *Indicativo*	lisais, lisais, lisait; lisions, lisiez, lisaient	
Pret. Indef. *Indicativo*	lus, lus, lut; lûmes, lûtes, lurent	
Fut. Imp. *Indicativo*	lirai, liras, lira; lirons, lirez, liront	
Potencial *Simple*	lirais, lirais, lirait; lirions, liriez, liraient	
Presente *Subjuntivo*	lise, lises, lise; lisions, lisiez, lisent	
Pret. Imp. *Subjuntivo*	lusse, lusses, lût; lussions, lussiez, lussent	
Pret. Perf. *Indicativo*	ai lu, as lu, a lu; avons lu, avez lu, ont lu	
Pret. Plus. *Indicativo*	avais lu, avais lu, avait lu; avions lu, aviez lu, avaient lu	
Pretérito *Anterior*	eus lu, eus lu, eut lu; eûmes lu, eûtes lu, eurent lu	
Fut. Perf. *Indicativo*	aurai lu, auras lu, aura lu; aurons lu, aurez lu, auront lu	
Potencial *Perfecto*	aurais lu, aurais lu, aurait lu; aurions lu, auriez lu, auraient lu	
Pret. Perf. *Subjuntivo*	aie lu, aies lu, ait lu; ayons lu, ayez lu, aient lu	
Pret. Plus. *Subjuntivo*	eusse lu, eusses lu, eût lu; eussions lu, eussiez lu, eussent lu	
Imperativo	lis, lisons, lisez	

Presente *Indicativo*	mange, manges, mange; mangeons, mangez, mangent	*comer*
Pret. Imp. *Indicativo*	mangeais, mangeais, mangeait; mangions, mangiez, mangeaient	
Pret. Indef. *Indicativo*	mangeai, mangeas, mangea; mangeâmes, mangeâtes, mangèrent	
Fut. Imp. *Indicativo*	mangerai, mangeras, mangera; mangerons, mangerez, mangeront	
Potencial *Simple*	mangerais, mangerais, mangerait; mangerions, mangeriez, mangeraient	
Presente *Subjuntivo*	mange, manges, mange; mangions, mangiez, mangent	
Pret. Imp. *Subjuntivo*	mangeasse, mangeasses, mangeât; mangeassions, mangeassiez, mangeassent	
Pret. Perf. *Indicativo*	ai mangé, as mangé, a mangé; avons mangé, avez mangé, ont mangé	
Pret. Plus. *Indicativo*	avais mangé, avais mangé, avait mangé; avions mangé, aviez mangé, avaient mangé	
Pretérito *Anterior*	eus mangé, eus mangé, eut mangé; eûmes mangé, eûtes mangé, eurent mangé	
Fut. Perf. *Indicativo*	aurai mangé, auras mangé, aura mangé; aurons mangé, aurez mangé, auront mangé	
Potencial *Perfecto*	aurais mangé, aurais mangé, aurait mangé; aurions mangé, auriez mangé, auraient mangé	
Pret. Perf. *Subjuntivo*	aie mangé, aies mangé, ait mangé; ayons mangé, ayez mangé, aient mangé	
Pret. Plus. *Subjuntivo*	eusse mangé, eusses mangé, eût mangé; eussions mangé, eussiez mangé, eussent mangé	
Imperativo	mange, mangeons, mangez	

Presente *Indicativo*	mène, mènes, mène; menons, menez, mènent	*llevar,* *conducir*
Pret. Imp. *Indicativo*	menais, menais, menait; menions, meniez, menaient	
Pret. Indef. *Indicativo*	menai, menas, mena; menâmes, menâtes, menèrent	
Fut. Imp. *Indicativo*	mènerai, mèneras, mènera; mènerons, mènerez, mèneront	
Potencial *Simple*	mènerais, mènerais, mènerait; mènerions, mèneriez, mèneraient	
Presente *Subjuntivo*	mène, mènes, mène; menions, meniez, mènent	
Pret. Imp. *Subjuntivo*	menasse, menasses, menât; menassions, menassiez, menassent	
Pret. Perf. *Indicativo*	ai mené, as mené, a mené; avons mené, avez mené, ont mené	
Pret. Plus. *Indicativo*	avais mené, avais mené, avait mené; avions mené, aviez mené, avaient mené	
Pretérito *Anterior*	eus mené, eus mené, eut mené; eûmes mené, eûtes mené, eurent mené	
Fut. Perf. *Indicativo*	aurai mené, auras mené, aura mené; aurons mené, aurez mené, auront mené	
Potencial *Perfecto*	aurais mené, aurais mené, aurait mené; aurions mené, auriez mené, auraient mené	
Pret. Perf. *Subjuntivo*	aie mené, aies mené, ait mené; ayons mené, ayez mené, aient mené	
Pret. Plus. *Subjuntivo*	eusse mené, eusses mené, eût mené; eussions mené, eussiez mené, eussent mené	
Imperativo	mène, menons, menez	

116

Presente	mens, mens, ment;
Indicativo	mentons, mentez, mentent
Pret. Imp.	mentais, mentais, mentait;
Indicativo	mentions, mentiez, mentaient
Pret. Indef.	mentis, mentis, mentit;
Indicativo	mentîmes, mentîtes, mentirent
Fut. Imp.	mentirai, mentiras, mentira;
Indicativo	mentirons, mentirez, mentiront
Potencial	mentirais, mentirais, mentirait;
Simple	mentirions, mentiriez, mentiraient
Presente	mente, mentes, mente;
Subjuntivo	mentions, mentiez, mentent
Pret. Imp.	mentisse, mentisses, mentît;
Subjuntivo	mentissions, mentissiez, mentissent
Pret. Perf.	ai menti, as menti, a menti;
Indicativo	avons menti, avez menti, ont menti
Pret. Plus.	avais menti, avais menti, avait menti;
Indicativo	avions menti, aviez menti, avaient menti
Pretérito	eus menti, eus menti, eut menti;
Anterior	eûmes menti, eûtes menti, eurent menti
Fut. Perf.	aurai menti, auras menti, aura menti;
Indicativo	aurons menti, aurez menti, auront menti
Potencial	aurais menti, aurais menti, aurait menti;
Perfecto	aurions menti, auriez menti, auraient menti
Pret. Perf.	aie menti, aies menti, ait menti;
Subjuntivo	ayons menti, ayez menti, aient menti
Pret. Plus.	eusse menti, eusses menti, eût menti;
Subjuntivo	eussions menti, eussiez menti, eussent menti
Imperativo	[no se emplea]

mentir

Presente *Indicativo*	mets, mets, met; mettons, mettez, mettent	*poner,*
Pret. Imp. *Indicativo*	mettais, mettais, mettait; mettions, mettiez, mettaient	*colocar,* *meter*
Pret. Indef. *Indicativo*	mis, mis, mit; mîmes, mîtes, mirent	
Fut. Imp. *Indicativo*	mettrai, mettras, mettra; mettrons, mettrez, mettront	
Potencial *Simple*	mettrais, mettrais, mettrait; mettrions, mettriez, mettraient	
Presente *Subjuntivo*	mette, mettes, mette; mettions, mettiez, mettent	
Pret. Imp. *Subjuntivo*	misse, misses, mît; missions, missiez, missent	
Pret. Perf. *Indicativo*	ai mis, as mis, a mis; avons mis, avez mis, ont mis	
Pret. Plus. *Indicativo*	avais mis, avais mis, avait mis; avions mis, aviez mis, avaient mis	
Pretérito *Anterior*	eus mis, eus mis, eut mis; eûmes mis, eûtes mis, eurent mis	
Fut. Perf. *Indicativo*	aurai mis, auras mis, aura mis; aurons mis, aurez mis, auront mis	
Potencial *Perfecto*	aurais mis, aurais mis, aurait mis; aurions mis, auriez mis, auraient mis	
Pret. Perf. *Subjuntivo*	aie mis, aies mis, ait mis; ayons mis, ayez mis, aient mis	
Pret. Plus. *Subjuntivo*	eusse mis, eusses mis, eût mis; eussions mis, eussiez mis, eussent mis	
Imperativo	mets, mettons, mettez	

		subir
Presente	monte, montes, monte;	
Indicativo	montons, montez, montent	
Pret. Imp.	montais, montais, montait;	
Indicativo	montions, montiez, montaient	
Pret. Indef.	montai, montas, monta;	
Indicativo	montâmes, montâtes, montèrent	
Fut. Imp.	monterai, monteras, montera;	
Indicativo	monterons, monterez, monteront	
Potencial	monterais, monterais, monterait;	
Simple	monterions, monteriez, monteraient	
Presente	monte, montes, monte;	
Subjuntivo	montions, montiez, montent	
Pret. Imp.	montasse, montasses, montât;	
Subjuntivo	montassions, montassiez, montassent	

Pret. Perf. suis monté(e), es monté(e), est monté(e);
Indicativo sommes monté(e)s, êtes monté(e)(s), sont monté(e)s

Pret. Plus. étais monté(e), étais monté(e), était monté(e);
Indicativo étions monté(e)s, étiez monté(e)(s), étaient monté(e)s

Pretérito fus monté(e), fus monté(e), fut monté(e);
Anterior fûmes monté(e)s, fûtes monté(e)(s), furent monté(e)s

Fut. Perf. serai monté(e), seras monté(e), sera monté(e);
Indicativo serons monté(e)s, serez monté(e)(s), seront monté(e)s

Potencial serais monté(e), serais monté(e), serait monté(e);
Perfecto serions monté(e)s, seriez monté(e)(s), seraient monté(e)s

Pret. Perf. sois monté(e), sois monté(e), soit monté(e);
Subjuntivo soyons monté(e)s, soyez monté(e)(s), soient monté(e)s

Pret. Plus. fusse monté(e), fusses monté(e), fût monté(e);
Subjuntivo fussions monté(e)s, fussiez monté(e)(s), fussent monté(e)s

Imperativo monte, montons, montez

* Este verbo se conjuga con *avoir* si hay complemento.

Ejemplos: J'ai monté l'escalier.
J'ai monté les valises.

119

Presente	mords, mords, mord;	
Indicativo	mordons, mordez, mordent	*morder*
Pret. Imp.	mordais, mordais, mordait;	
Indicativo	mordions, mordiez, mordaient	
Pret. Indef.	mordis, mordis, mordit;	
Indicativo	mordîmes, mordîtes, mordirent	
Fut. Imp.	mordrai, mordras, mordra;	
Indicativo	mordrons, mordrez, mordront	
Potencial	mordrais, mordrais, mordrait;	
Simple	mordrions, mordriez, mordraient	
Presente	morde, mordes, morde;	
Subjuntivo	mordions, mordiez, mordent	
Pret. Imp.	mordisse, mordisses, mordît;	
Subjuntivo	mordissions, mordissiez, mordissent	
Pret. Perf.	ai mordu, as mordu, a mordu;	
Indicativo	avons mordu, avez mordu, ont mordu	
Pret. Plus.	avais mordu, avais mordu, avait mordu;	
Indicativo	avions mordu, aviez mordu, avaient mordu	
Pretérito	eus mordu, eus mordu, eut mordu;	
Anterior	eûmes mordu, eûtes mordu, eurent mordu	
Fut. Perf.	aurai mordu, auras mordu, aura mordu;	
Indicativo	aurons mordu, aurez mordu, auront mordu	
Potencial	aurais mordu, aurais mordu, aurait mordu;	
Perfecto	aurions mordu, auriez mordu, auraient mordu	
Pret. Perf.	aie mordu, aies mordu, ait mordu;	
Subjuntivo	ayons mordu, ayez mordu, aient mordu	
Pret. Plus.	eusse mordu, eusses mordu, eût mordu;	
Subjuntivo	eussions mordu, eussiez mordu, eussent mordu	
Imperativo	mords, mordons, mordez	

Presente	meurs, meurs, meurt;	*morir*
Indicativo	mourons, mourez, meurent	
Pret. Imp.	mourais, mourais, mourait;	
Indicativo	mourions, mouriez, mouraient	
Pret. Indef.	mourus, mourus, mourut;	
Indicativo	mourûmes, mourûtes, moururent	
Fut. Imp.	mourrai, mourras, mourra;	
Indicativo	mourrons, mourrez, mourront	
Potencial	mourrais, mourrais, mourrait;	
Simple	mourrions, mourriez, mourraient	
Presente	meure, meures, meure;	
Subjuntivo	mourions, mouriez, meurent	
Pret. Imp.	mourusse, mourusses, mourût;	
Subjuntivo	mourussions, mourussiez, mourussent	
Pret. Perf.	suis mort(e), es mort(e), est mort(e);	
Indicativo	sommes mort(e)s, êtes mort(e)(s), sont mort(e)s	
Pret. Plus.	étais mort(e), étais mort(e), était mort(e);	
Indicativo	étions mort(e)s, étiez mort(e)(s), étaient mort(e)s	
Pretérito	fus mort(e), fus mort(e), fut mort(e);	
Anterior	fûmes mort(e)s, fûtes mort(e)(s), furent mort(e)s	
Fut. Perf.	serai mort(e), seras mort(e), sera mort(e);	
Indicativo	serons mort(e)s, serez mort(e)(s), seront mort(e)s	
Potencial	serais mort(e), serais mort(e), serait mort(e);	
Perfecto	serions mort(e)s, seriez mort(e)(s), seraient mort(e)s	
Pret. Perf.	sois mort(e), sois mort(e), soit mort(e);	
Subjuntivo	soyons mort(e)s, soyez mort(e)(s), soient mort(e)s	
Pret. Plus.	fusse mort(e), fusses mort(e), fût mort(e);	
Subjuntivo	fussions mort(e)s, fussiez mort(e)(s), fussent mort(e)s	
Imperativo	meurs, mourons, mourez	

Presente *Indicativo*	meus, meus, meut; mouvons, mouvez, meuvent	*mover*
Pret. Imp. *Indicativo*	mouvais, mouvais, mouvait; mouvions, mouviez, mouvaient	
Pret. Indef. *Indicativo*	mus, mus, mut; mûmes, mûtes, murent	
Fut. Imp. *Indicativo*	mouvrai, mouvras, mouvra; mouvrons, mouvrez, mouvront	
Potencial *Simple*	mouvrais, mouvrais, mouvrait; mouvrions, mouvriez, mouvraient	
Presente *Subjuntivo*	meuve, meuves, meuve; mouvions, mouviez, meuvent	
Pret. Imp. *Subjuntivo*	musse, musses, mût; mussions, mussiez, mussent	
Pret. Perf. *Indicativo*	ai mû, as mû, a mû; avons mû, avez mû, ont mû	
Pret. Plus. *Indicativo*	avais mû, avais mû, avait mû; avions mû, aviez mû, avaient mû	
Pretérito *Anterior*	eus mû, eus mû, eut mû; eûmes mû, eûtes mû, eurent mû	
Fut. Perf. *Indicativo*	aurai mû, auras mû, aura mû; aurons mû, aurez mû, auront mû	
Potencial *Perfecto*	aurais mû, aurais mû, aurait mû; aurions mû, auriez mû, auraient mû	
Pret. Perf. *Subjuntivo*	aie mû, aies mû, ait mû; ayons mû, ayez mû, aient mû	
Pret. Plus. *Subjuntivo*	eusse mû, eusses mû, eût mû; eussions mû, eussiez mû, eussent mû	
Imperativo	meus, mouvons, mouvez	

Presente *Indicativo*	nage, nages, nage; nageons, nagez, nagent

nadar

Pret. Imp. *Indicativo*	nageais, nageais, nageait; nagions, nagiez, nageaient
Pret. Indef. *Indicativo*	nageai, nageas, nagea; nageâmes, nageâtes, nagèrent
Fut. Imp. *Indicativo*	nagerai, nageras, nagera; nagerons, nagerez, nageront
Potencial *Simple*	nagerais, nagerais, nagerait; nagerions, nageriez, nageraient
Presente *Subjuntivo*	nage, nages, nage; nagions, nagiez, nagent
Pret. Imp. *Subjuntivo*	nageasse, nageasses, nageât; nageassions, nageassiez, nageassent
Pret. Perf. *Indicativo*	ai nagé, as nagé, a nagé; avons nagé, avez nagé, ont nagé
Pret. Plus. *Indicativo*	avais nagé, avais nagé, avait nagé; avions nagé, aviez nagé, avaient nagé
Pretérito *Anterior*	eus nagé, eus nagé, eut nagé; eûmes nagé, eûtes nagé, eurent nagé
Fut. Perf. *Indicativo*	aurai nagé, auras nagé, aura nagé; aurons nagé, aurez nagé, auront nagé
Potencial *Perfecto*	aurais nagé, aurais nagé, aurait nagé; aurions nagé, auriez nagé, auraient nagé
Pret. Perf. *Subjuntivo*	aie nagé, aies nagé, ait nagé; ayons nagé, ayez nagé, aient nagé
Pret. Plus. *Subjuntivo*	eusse nagé, eusses nagé, eût nagé; eussions nagé, eussiez nagé, eussent nagé
Imperativo	nage, nageons, nagez

Presente *Indicativo*	nais, nais, naît; naissons, naissez, naissent

Pret. Imp. *Indicativo*	naissais, naissais, naissait; naissions, naissiez, naissaient
Pret. Indef. *Indicativo*	naquis, naquis, naquit; naquîmes, naquîtes, naquirent
Fut. Imp. *Indicativo*	naîtrai, naîtras, naîtra; naîtrons, naîtrez, naîtront
Potencial *Simple*	naîtrais, naîtrais, naîtrait; naîtrions, naîtriez, naîtraient
Presente *Subjuntivo*	naisse, naisses, naisse; naissions, naissiez, naissent
Pret. Imp. *Subjuntivo*	naquisse, naquisses, naquît; naquissions, naquissiez, naquissent
Pret. Perf. *Indicativo*	suis né(e), es né(e), est né(e); sommes né(e)s, êtes né(e)(s), sont né(e)s
Pret. Plus. *Indicativo*	étais né(e), étais né(e), était né(e); étions né(e)s, étiez né(e)(s), étaient né(e)s
Pretérito *Anterior*	fus né(e), fus né(e), fut né(e); fûmes né(e)s, fûtes né(e)(s), furent né(e)s
Fut. Perf. *Indicativo*	serai né(e), seras né(e), sera né(e); serons né(e)s, serez né(e)(s), seront né(e)s
Potencial *Perfecto*	serais né(e), serais né(e), serait né(e); serions né(e)s, seriez né(e)(s), seraient né(e)s
Pret. Perf. *Subjuntivo*	sois né(e), sois né(e), soit né(e); soyons né(e)s, soyez né(e)(s), soient né(e)s
Pret. Plus. *Subjuntivo*	fusse né(e), fusses né(e), fût né(e); fussions né(e)s, fussiez né(e)(s), fussent né(e)s
Imperativo	nais, naissons, naissez

Presente *Indicativo*	il neige	*nevar*
Pret. Imp. *Indicativo*	il neigeait	
Pret. Indef. *Indicativo*	il neigea	
Fut. Imp. *Indicativo*	il neigera	
Potencial *Simple*	il neigerait	
Presente *Subjuntivo*	qu'il neige	
Pret. Imp. *Subjuntivo*	qu'il neigeât	
Pret. Perf. *Indicativo*	il a neigé	
Pret. Plus. *Indicativo*	il avait neigé	
Pretérito *Anterior*	il eut neigé	
Fut. Perf. *Indicativo*	il aura neigé	
Potencial *Perfecto*	il aurait neigé	
Pret. Perf. *Subjuntivo*	qu'il ait neigé	
Pret. Plus. *Subjuntivo*	qu'il eût neigé	
Imperativo	[no se emplea]	

Presente *Indicativo*	nettoie, nettoies, nettoie; nettoyons, nettoyez, nettoient	*limpiar*
Pret. Imp. *Indicativo*	nettoyais, nettoyais, nettoyait; nettoyions, nettoyiez, nettoyaient	
Pret. Indef. *Indicativo*	nettoyai, nettoyas, nettoya; nettoyâmes, nettoyâtes, nettoyèrent	
Fut. Imp. *Indicativo*	nettoierai, nettoieras, nettoiera; nettoierons, nettoierez, nettoieront	
Potencial *Simple*	nettoierais, nettoierais, nettoierait; nettoierions, nettoieriez, nettoieraient	
Presente *Subjuntivo*	nettoie, nettoies, nettoie; nettoyions, nettoyiez, nettoient	
Pret. Imp. *Subjuntivo*	nettoyasse, nettoyasses, nettoyât; nettoyassions, nettoyassiez, nettoyassent	
Pret. Perf. *Indicativo*	ai nettoyé, as nettoyé, a nettoyé; avons nettoyé, avez nettoyé, ont nettoyé	
Pret. Plus. *Indicativo*	avais nettoyé, avais nettoyé, avait nettoyé; avions nettoyé, aviez nettoyé, avaient nettoyé	
Pretérito *Anterior*	eus nettoyé, eus nettoyé, eut nettoyé; eûmes nettoyé, eûtes nettoyé, eurent nettoyé	
Fut. Perf. *Indicativo*	aurai nettoyé, auras nettoyé, aura nettoyé; aurons nettoyé, aurez nettoyé, auront nettoyé	
Potencial *Perfecto*	aurais nettoyé, aurais nettoyé, aurait nettoyé; aurions nettoyé, auriez nettoyé, auraient nettoyé	
Pret. Perf. *Subjuntivo*	aie nettoyé, aies nettoyé, ait nettoyé; ayons nettoyé, ayez nettoyé, aient nettoyé	
Pret. Plus. *Subjuntivo*	eusse nettoyé, eusses nettoyé, eût nettoyé; eussions nettoyé, eussiez nettoyé, eussent nettoyé	
Imperativo	nettoie, nettoyons, nettoyez	

Presente *Indicativo*	nuis, nuis, nuit; nuisons, nuisez, nuisent
Pret. Imp. *Indicativo*	nuisais, nuisais, nuisait; nuisions, nuisiez, nuisaient
Pret. Indef. *Indicativo*	nuisis, nuisis, nuisit; nuisîmes, nuisîtes, nuisirent
Fut. Imp. *Indicativo*	nuirai, nuiras, nuira; nuirons, nuirez, nuiront
Potencial *Simple*	nuirais, nuirais, nuirait; nuirions, nuiriez, nuiraient
Presente *Subjuntivo*	nuise, nuises, nuise; nuisions, nuisiez, nuisent
Pret. Imp. *Subjuntivo*	nuisisse, nuisisses, nuisît; nuisissions, nuisissiez, nuisissent
Pret. Perf. *Indicativo*	ai nui, as nui, a nui; avons nui, avez nui, ont nui
Pret. Plus. *Indicativo*	avais nui, avais nui, avait nui; avions nui, aviez nui, avaient nui
Pretérito *Anterior*	eus nui, eus nui, eut nui; eûmes nui, eûtes nui, eurent nui
Fut. Perf. *Indicativo*	aurai nui, auras nui, aura nui; aurons nui, aurez nui, auront nui
Potencial *Perfecto*	aurais nui, aurais nui, aurait nui; aurions nui, auriez nui, auraient nui
Pret. Perf. *Subjuntivo*	aie nui, aies nui, ait nui; ayons nui, ayez nui, aient nui
Pret. Plus. *Subjuntivo*	eusse nui, eusses nui, eût nui; eussions nui, eussiez nui, eussent nui
Imperativo	nuis, nuisons, nuisez

dañar,
perjudicar

127

Presente *Indicativo*	obéis, obéis, obéit; obéissons, obéissez, obéissent	*obedecer*
Pret. Imp. *Indicativo*	obéissais, obéissais, obéissait; obéissions, obéissiez, obéissaient	
Pret. Indef. *Indicativo*	obéis, obéis, obéit; obéîmes, obéîtes, obéirent	
Fut. Imp. *Indicativo*	obéirai, obéiras, obéira; obéirons, obéirez, obéiront	
Potencial *Simple*	obéirais, obéirais, obéirait; obéirions, obéiriez, obéiraient	
Presente *Subjuntivo*	obéisse, obéisses, obéisse; obéissions, obéissiez, obéissent	
Pret. Imp. *Subjuntivo*	obéisse, obéisses, obéît; obéissions, obéissiez, obéissent	
Pret. Perf. *Indicativo*	ai obéi, as obéi, a obéi; avons obéi, avez obéi, ont obéi	
Pret. Plus. *Indicativo*	avais obéi, avais obéi, avait obéi; avions obéi, aviez obéi, avaient obéi	
Pretérito *Anterior*	eus obéi, eus obéi, eut obéi; eûmes obéi, eûtes obéi, eurent obéi	
Fut. Perf. *Indicativo*	aurai obéi, auras obéi, aura obéi; aurons obéi, aurez obéi, auront obéi	
Potencial *Perfecto*	aurais obéi, aurais obéi, aurait obéi; aurions obéi, auriez obéi, auraient obéi	
Pret. Perf. *Subjuntivo*	aie obéi, aies obéi, ait obéi; ayons obéi, ayez obéi, aient obéi	
Pret. Plus. *Subjuntivo*	eusse obéi, eusses obéi, eût obéi; eussions obéi, eussiez obéi, eussent obéi	
Imperativo	obéis, obéissons, obéissez	

Presente *Indicativo*	oblige, obliges, oblige; obligeons, obligez, obligent	*obligar*
Pret. Imp. *Indicativo*	obligeais, obligeais, obligeait; obligions, obligiez, obligeaient	
Pret. Indef. *Indicativo*	obligeai, obligeas, obligea; obligeâmes, obligeâtes, obligèrent	
Fut. Imp. *Indicativo*	obligerai, obligeras, obligera; obligerons, obligerez, obligeront	
Potencial *Simple*	obligerais, obligerais, obligerait; obligerions, obligeriez, obligeraient	
Presente *Subjuntivo*	oblige, obliges, oblige; obligions, obligiez, obligent	
Pret. Imp. *Subjuntivo*	obligeasse, obligeasses, obligeât; obligeassions, obligeassiez, obligeassent	
Pret. Perf. *Indicativo*	ai obligé, as obligé, a obligé; avons obligé, avez obligé, ont obligé	
Pret. Plus. *Indicativo*	avais obligé, avais obligé, avait obligé; avions obligé, aviez obligé, avaient obligé	
Pretérito *Anterior*	eus obligé, eus obligé, eut obligé; eûmes obligé, eûtes obligé, eurent obligé	
Fut. Perf. *Indicativo*	aurai obligé, auras obligé, aura obligé; aurons obligé, aurez obligé, auront obligé	
Potencial *Perfecto*	aurais obligé, aurais obligé, aurait obligé; aurions obligé, auriez obligé, auraient obligé	
Pret. Perf. *Subjuntivo*	aie obligé, aies obligé, ait obligé; ayons obligé, ayez obligé, aient obligé	
Pret. Plus. *Subjuntivo*	eusse obligé, eusses obligé, eût obligé; eussions obligé, eussiez obligé, eussent obligé	
Imperativo	oblige, obligeons, obligez	

Presente *Indicativo*	obtiens, obtiens, obtient; obtenons, obtenez, obtiennent
Pret. Imp. *Indicativo*	obtenais, obtenais, obtenait; obtenions, obteniez, obtenaient
Pret. Indef. *Indicativo*	obtins, obtins, obtint; obtînmes, obtîntes, obtinrent
Fut. Imp. *Indicativo*	obtiendrai, obtiendras, obtiendra; obtiendrons, obtiendrez, obtiendront
Potencial *Simple*	obtiendrais, obtiendrais, obtiendrait; obtiendrions, obtiendriez, obtiendraient
Presente *Subjuntivo*	obtienne, obtiennes, obtienne; obtenions, obteniez, obtiennent
Pret. Imp. *Subjuntivo*	obtinsse, obtinsses, obtînt; obtinssions, obtinssiez, obtinssent
Pret. Perf. *Indicativo*	ai obtenu, as obtenu, a obtenu; avons obtenu, avez obtenu, ont obtenu
Pret. Plus. *Indicativo*	avais obtenu, avais obtenu, avait obtenu; avions obtenu, aviez obtenu, avaient obtenu
Pretérito *Anterior*	eus obtenu, eus obtenu, eut obtenu; eûmes obtenu, eûtes obtenu, eurent obtenu
Fut. Perf. *Indicativo*	aurai obtenu, auras obtenu, aura obtenu; aurons obtenu, aurez obtenu, auront obtenu
Potencial *Perfecto*	aurais obtenu, aurais obtenu, aurait obtenu; aurions obtenu, auriez obtenu, auraient obtenu
Pret. Perf. *Subjuntivo*	aie obtenu, aies obtenu, ait obtenu; ayons obtenu, ayez obtenu, aient obtenu
Pret. Plus. *Subjuntivo*	eusse obtenu, eusses obtenu, eût obtenu; eussions obtenu, eussiez obtenu, eussent obtenu
Imperativo	obtiens, obtenons, obtenez

conseguir,
obtener

Presente	offre, offres, offre;	
Indicativo	offrons, offrez, offrent	*ofrecer*
Pret. Imp.	offrais, offrais, offrait;	
Indicativo	offrions, offriez, offraient	
Pret. Indef.	offris, offris, offrit;	
Indicativo	offrîmes, offrîtes, offrirent	
Fut. Imp.	offrirai, offriras, offrira;	
Indicativo	offrirons, offrirez, offriront	
Potencial	offrirais, offrirais, offrirait;	
Simple	offririons, offririez, offriraient	
Presente	offre, offres, offre;	
Subjuntivo	offrions, offriez, offrent	
Pret. Imp.	offrisse, offrisses, offrît;	
Subjuntivo	offrissions, offrissiez, offrissent	
Pret. Perf.	ai offert, as offert, a offert;	
Indicativo	avons offert, avez offert, ont offert	
Pret. Plus.	avais offert, avais offert, avait offert;	
Indicativo	avions offert, aviez offert, avaient offert	
Pretérito	eus offert, eus offert, eut offert;	
Anterior	eûmes offert, eûtes offert, eurent offert	
Fut. Perf.	aurai offert, auras offert, aura offert;	
Indicativo	aurons offert, aurez offert, auront offert	
Potencial	aurais offert, aurais offert, aurait offert;	
Perfecto	aurions offert, auriez offert, auraient offert	
Pret. Perf.	aie offert, aies offert, ait offert;	
Subjuntivo	ayons offert, ayez offert, aient offert	
Pret. Plus.	eusse offert, eusses offert, eût offert;	
Subjuntivo	eussions offert, eussiez offert, eussent offert	
Imperativo	offre, offrons, offrez	

Presente *Indicativo*	ose, oses, ose; osons, osez, osent	
Pret. Imp. *Indicativo*	osais, osais, osait; osions, osiez, osaient	*atreverse a,* *osar*
Pret. Indef. *Indicativo*	osai, osas, osa; osâmes, osâtes, osèrent	
Fut. Imp. *Indicativo*	oserai, oseras, osera; oserons, oserez, oseront	
Potencial *Simple*	oserais, oserais, oserait; oserions, oseriez, oseraient	
Presente *Subjuntivo*	ose, oses, ose; osions, osiez, osent	
Pret. Imp. *Subjuntivo*	osasse, osasses, osât; osassions, osassiez, osassent	
Pret. Perf. *Indicativo*	ai osé, as osé, a osé; avons osé, avez osé, ont osé	
Pret. Plus. *Indicativo*	avais osé, avais osé, avait osé; avions osé, aviez osé, avaient osé	
Pretérito *Anterior*	eus osé, eus osé, eut osé; eûmes osé, eûtes osé, eurent osé	
Fut. Perf. *Indicativo*	aurai osé, auras osé, aura osé; aurons osé, aurez osé, auront osé	
Potencial *Perfecto*	aurais osé, aurais osé, aurait osé; aurions osé, auriez osé, auraient osé	
Pret. Perf. *Subjuntivo*	aie osé, aies osé, ait osé; ayons osé, ayez osé, aient osé	
Pret. Plus. *Subjuntivo*	eusse osé, eusses osé, eût osé; eussions osé, eussiez osé, eussent osé	
Imperativo	ose, osons, osez	

Presente *Indicativo*	ouvre, ouvres, ouvre; ouvrons, ouvrez, ouvrent
Pret. Imp. *Indicativo*	ouvrais, ouvrais, ouvrait; ouvrions, ouvriez, ouvraient
Pret. Indef. *Indicativo*	ouvris, ouvris, ouvrit; ouvrîmes, ouvrîtes, ouvrirent
Fut. Imp. *Indicativo*	ouvrirai, ouvriras, ouvrira; ouvrirons, ouvrirez, ouvriront
Potencial *Simple*	ouvrirais, ouvrirais, ouvrirait; ouvririons, ouvririez, ouvriraient
Presente *Subjuntivo*	ouvre, ouvres, ouvre; ouvrions, ouvriez, ouvrent
Pret. Imp. *Subjuntivo*	ouvrisse, ouvrisses, ouvrît; ouvrissions, ouvrissiez, ouvrissent
Pret. Perf. *Indicativo*	ai ouvert, as ouvert, a ouvert; avons ouvert, avez ouvert, ont ouvert
Pret. Plus. *Indicativo*	avais ouvert, avais ouvert, avait ouvert; avions ouvert, aviez ouvert, avaient ouvert
Pretérito *Anterior*	eus ouvert, eus ouvert, eut ouvert; eûmes ouvert, eûtes ouvert, eurent ouvert
Fut. Perf. *Indicativo*	aurai ouvert, auras ouvert, aura ouvert; aurons ouvert, aurez ouvert, auront ouvert
Potencial *Perfecto*	aurais ouvert, aurais ouvert, aurait ouvert; aurions ouvert, auriez ouvert, auraient ouvert
Pret. Perf. *Subjuntivo*	aie ouvert, aies ouvert, ait ouvert; ayons ouvert, ayez ouvert, aient ouvert
Pret. Plus. *Subjuntivo*	eusse ouvert, eusses ouvert, eût ouvert; eussions ouvert, eussiez ouvert, eussent ouvert
Imperativo	ouvre, ouvrons, ouvrez

abrir

Presente *Indicativo*	parais, parais, paraît; paraissons, paraissez, paraissent	*aparecer,*
Pret. Imp. *Indicativo*	paraissais, paraissais, paraissait; paraissions, paraissiez, paraissaient	*parecer,* *mostrarse*
Pret. Indef. *Indicativo*	parus, parus, parut; parûmes, parûtes, parurent	
Fut. Imp. *Indicativó*	paraîtrai, paraîtras, paraîtra; paraîtrons, paraîtrez, paraîtront	
Potencial *Simple*	paraîtrais, paraîtrais, paraîtrait; paraîtrions, paraîtriez, paraîtraient	
Presente *Subjuntivo*	paraisse, paraisses, paraisse; paraissions, paraissiez, paraissent	
Pret. Imp. *Subjuntivo*	parusse, parusses, parût; parussions, parussiez, parussent	
Pret. Perf. *Indicativo*	ai paru, as paru, a paru; avons paru, avez paru, ont paru	
Pret. Plus. *Indicativo*	avais paru, avais paru, avait paru; avions paru, aviez paru, avaient paru	
Pretérito *Anterior*	eus paru, eus paru, eut paru; eûmes paru, eûtes paru, eurent paru	
Fut. Perf. *Indicativo*	aurai paru, auras paru, aura paru; aurons paru, aurez paru, auront paru	
Potencial *Perfecto*	aurais paru, aurais paru, aurait paru; aurions paru, auriez paru, auraient paru	
Pret. Perf. *Subjuntivo*	aie paru, aies paru, ait paru; ayons paru, ayez paru, aient paru	
Pret. Plus. *Subjuntivo*	eusse paru, eusses paru, eût paru; eussions paru, eussiez paru, eussent paru	
Imperativo	parais, paraissons, paraissez	

134

Presente	parle, parles, parle;	*hablar*
Indicativo	parlons, parlez, parlent	

Pret. Imp.	parlais, parlais, parlait;
Indicativo	parlions, parliez, parlaient

Pret. Indef.	parlai, parlas, parla;
Indicativo	parlâmes, parlâtes, parlèrent

Fut. Imp.	parlerai, parleras, parlera;
Indicativo	parlerons, parlerez, parleront

Potencial	parlerais, parlerais, parlerait;
Simple	parlerions, parleriez, parleraient

Presente	parle, parles, parle;
Subjuntivo	parlions, parliez, parlent

Pret. Imp.	parlasse, parlasses, parlât;
Subjuntivo	parlassions, parlassiez, parlassent

Pret. Perf.	ai parlé, as parlé, a parlé;
Indicativo	avons parlé, avez parlé, ont parlé

Pret. Plus.	avais parlé, avais parlé, avait parlé;
Indicativo	avions parlé, aviez parlé, avaient parlé

Pretérito	eus parlé, eus parlé, eut parlé;
Anterior	eûmes parlé, eûtes parlé, eurent parlé

Fut. Perf.	aurai parlé, auras parlé, aura parlé;
Indicativo	aurons parlé, aurez parlé, auront parlé

Potencial	aurais parlé, aurais parlé, aurait parlé;
Perfecto	aurions parlé, auriez parlé, auraient parlé

Pret. Perf.	aie parlé, aies parlé, ait parlé;
Subjuntivo	ayons parlé, ayez parlé, aient parlé

Pret. Plus.	eusse parlé, eusses parlé, eût parlé;
Subjuntivo	eussions parlé, eussiez parlé, eussent parlé

Imperativo	parle, parlons, parlez

Presente	pars, pars, part;	*marcharse,*
Indicativo	partons, partez, partent	
Pret. Imp.	partais, partais, partait;	*partir,*
Indicativo	partions, partiez, partaient	*salir*
Pret. Indef.	partis, partis, partit;	
Indicativo	partîmes, partîtes, partirent	
Fut. Imp.	partirai, partiras, partira;	
Indicativo	partirons, partirez, partiront	
Potencial	partirais, partirais, partirait;	
Simple	partirions, partiriez, partiraient	
Presente	parte, partes, parte;	
Subjuntivo	partions, partiez, partent	
Pret. Imp.	partisse, partisses, partît;	
Subjuntivo	partissions, partissiez, partissent	
Pret. Perf.	suis parti(e), es parti(e), est parti(e);	
Indicativo	sommes parti(e)s, êtes parti(e)(s), sont parti(e)s	
Pret. Plus.	étais parti(e), étais parti(e), était parti(e);	
Indicativo	étions parti(e)s, étiez parti(e)(s), étaient parti(e)s	
Pretérito	fus parti(e), fus parti(e), fut parti(e);	
Anterior	fûmes parti(e)s, fûtes parti(e)(s), furent parti(e)s	
Fut. Perf.	serai parti(e), seras parti(e), sera parti(e);	
Indicativo	serons parti(e)s, serez parti(e)(s), seront parti(e)s	
Potencial	serais parti(e), serais parti(e), serait parti(e);	
Perfecto	serions parti(e)s, seriez parti(e)(s), seraient parti(e)s	
Pret. Perf.	sois parti(e), sois parti(e), soit parti(e);	
Subjuntivo	soyons parti(e)s, soyez parti(e)(s), soient parti(e)s	
Pret. Plus.	fusse parti(e), fusses parti(e), fût parti(e);	
Subjuntivo	fussions parti(e)s, fussiez parti(e)(s), fussent parti(e)s	
Imperativo	pars, partons, partez	

Presente *Indicativo*	paye, payes, paye; payons, payez, payent	*pagar*
Pret. Imp. *Indicativo*	payais, payais, payait; payions, payiez, payaient	
Pret. Indef. *Indicativo*	payai, payas, paya; payâmes, payâtes, payèrent	
Fut. Imp. *Indicativo*	payerai, payeras, payera; payerons, payerez, payeront	
Potencial *Simple*	payerais, payerais, payerait; payerions, payeriez, payeraient	
Presente *Subjuntivo*	paye, payes, paye; payions, payiez, payent	
Pret. Imp. *Subjuntivo*	payasse, payasses, payât; payassions, payassiez, payassent	
Pret. Perf. *Indicativo*	ai payé, as payé, a payé; avons payé, avez payé, ont payé	
Pret. Plus. *Indicativo*	avais payé, avais payé, avait payé; avions payé, aviez payé, avaient payé	
Pretérito *Anterior*	eus payé, eus payé, eut payé; eûmes payé, eûtes payé, eurent payé	
Fut. Perf. *Indicativo*	aurai payé, auras payé, aura payé; aurons payé, aurez payé, auront payé	
Potencial *Perfecto*	aurais payé, aurais payé, aurait payé; aurions payé, auriez payé, auraient payé	
Pret. Perf. *Subjuntivo*	aie payé, aies payé, ait payé; ayons payé, ayez payé, aient payé	
Pret. Plus. *Subjuntivo*	eusse payé, eusses payé, eût payé; eussions payé, eussiez payé, eussent payé	
Imperativo	paye, payons, payez	

Presente *Indicativo*	peins, peins, peint; peignons, peignez, peignent	*pintar*
Pret. Imp. *Indicativo*	peignais, peignais, peignait; peignions, peigniez, peignaient	
Pret. Indef. *Indicativo*	peignis, peignis, peignit; peignîmes, peignîtes, peignirent	
Fut. Imp. *Indicativo*	peindrai, peindras, peindra; peindrons, peindrez, peindront	
Potencial *Simple*	peindrais, peindrais, peindrait; peindrions, peindriez, peindraient	
Presente *Subjuntivo*	peigne, peignes, peigne; peignions, peigniez, peignent	
Pret. Imp. *Subjuntivo*	peignisse, peignisses, peignît; peignissions, peignissiez, peignissent	
Pret. Perf. *Indicativo*	ai peint, as peint, a peint; avons peint, avez peint, ont peint	
Pret. Plus. *Indicativo*	avais peint, avais peint, avait peint; avions peint, aviez peint, avaient peint	
Pretérito *Anterior*	eus peint, eus peint, eut peint; eûmes peint, eûtes peint, eurent peint	
Fut. Perf. *Indicativo*	aurai peint, auras peint, aura peint; aurons peint, aurez peint, auront peint	
Potencial *Perfecto*	aurais peint, aurais peint, aurait peint; aurions peint, auriez peint, auraient peint	
Pret. Perf. *Subjuntivo*	aie peint, aies peint, ait peint; ayons peint, ayez peint, aient peint	
Pret. Plus. *Subjuntivo*	eusse peint, eusses peint, eût peint; eussions peint, eussiez peint, eussent peint	
Imperativo	peins, peignons, peignez	

Presente *Indicativo*	pends, pends, pend; pendons, pendez, pendent	*colgar*
Pret. Imp. *Indicativo*	pendais, pendais, pendait; pendions, pendiez, pendaient	
Pret. Indef. *Indicativo*	pendis, pendis, pendit; pendîmes, pendîtes, pendirent	
Fut. Imp. *Indicativo*	pendrai, pendras, pendra; pendrons, pendrez, pendront	
Potencial *Simple*	pendrais, pendrais, pendrait; pendrions, pendriez, pendraient	
Presente *Subjuntivo*	pende, pendes, pende; pendions, pendiez, pendent	
Pret. Imp. *Subjuntivo*	pendisse, pendisses, pendît; pendissions, pendissiez, pendissent	
Pret. Perf. *Indicativo*	ai pendu, as pendu, a pendu; avons pendu, avez pendu, ont pendu	
Pret. Plus. *Indicativo*	avais pendu, avais pendu, avait pendu; avions pendu, aviez pendu, avaient pendu	
Pretérito *Anterior*	eus pendu, eus pendu, eut pendu; eûmes pendu, eûtes pendu, eurent pendu	
Fut. Perf. *Indicativo*	aurai pendu, auras pendu, aura pendu; aurons pendu, aurez pendu, auront pendu	
Potencial *Perfecto*	aurais pendu, aurais pendu, aurait pendu; aurions pendu, auriez pendu, auraient pendu	
Pret. Perf. *Subjuntivo*	aie pendu, aies pendu, ait pendu; ayons pendu, ayez pendu, aient pendu	
Pret. Plus. *Subjuntivo*	eusse pendu, eusses pendu, eût pendu; eussions pendu, eussiez pendu, eussent pendu	
Imperativo	pends, pendons, pendez	

Presente *Indicativo*	pense, penses, pense; pensons, pensez, pensent

pensar

Pret. Imp. *Indicativo*	pensais, pensais, pensait; pensions, pensiez, pensaient
Pret. Indef. *Indicativo*	pensai, pensas, pensa; pensâmes, pensâtes, pensèrent
Fut. Imp. *Indicativo*	penserai, penseras, pensera; penserons, penserez, penseront
Potencial *Simple*	penserais, penserais, penserait; penserions, penseriez, penseraient
Presente *Subjuntivo*	pense, penses, pense; pensions, pensiez, pensent
Pret. Imp. *Subjuntivo*	pensasse, pensasses, pensât; pensassions, pensassiez, pensassent
Pret. Perf. *Indicativo*	ai pensé, as pensé, a pensé; avons pensé, avez pensé, ont pensé
Pret. Plus. *Indicativo*	avais pensé, avais pensé, avait pensé; avions pensé, aviez pensé, avaient pensé
Pretérito *Anterior*	eus pensé, eus pensé, eut pensé; eûmes pensé, eûtes pensé, eurent pensé
Fut. Perf. *Indicativo*	aurai pensé, auras pensé, aura pensé; aurons pensé, aurez pensé, auront pensé
Potencial *Perfecto*	aurais pensé, aurais pensé, aurait pensé; aurions pensé, auriez pensé, auraient pensé
Pret. Perf. *Subjuntivo*	aie pensé, aies pensé, ait pensé; ayons pensé, ayez pensé, aient pensé
Pret. Plus. *Subjuntivo*	eusse pensé, eusses pensé, eût pensé; eussions pensé, eussiez pensé, eussent pensé
Imperativo	pense, pensons, pensez

perdre

perder

Presente *Indicativo*	perds, perds, perd; perdons, perdez, perdent
Pret. Imp. *Indicativo*	perdais, perdais, perdait; perdions, perdiez, perdaient
Pret. Indef. *Indicativo*	perdis, perdis, perdit; perdîmes, perdîtes, perdirent
Fut. Imp. *Indicativo*	perdrai, perdras, perdra; perdrons, perdrez, perdront
Potencial *Simple*	perdrais, perdrais, perdrait; perdrions, perdriez, perdraient
Presente *Subjuntivo*	perde, perdes, perde; perdions, perdiez, perdent
Pret. Imp. *Subjuntivo*	perdisse, perdisses, perdît; perdissions, perdissiez, perdissent
Pret. Perf. *Indicativo*	ai perdu, as perdu, a perdu; avons perdu, avez perdu, ont perdu
Pret. Plus. *Indicativo*	avais perdu, avais perdu, avait perdu; avions perdu, aviez perdu, avaient perdu
Pretérito *Anterior*	eus perdu, eus perdu, eut perdu; eûmes perdu, eûtes perdu, eurent perdu
Fut. Perf. *Indicativo*	aurai perdu, auras perdu, aura perdu; aurons perdu, aurez perdu, auront perdu
Potencial *Perfecto*	aurais perdu, aurais perdu, aurait perdu; aurions perdu, auriez perdu, auraient perdu
Pret. Perf. *Subjuntivo*	aie perdu, aies perdu, ait perdu; ayons perdu, ayez perdu, aient perdu
Pret. Plus. *Subjuntivo*	eusse perdu, eusses perdu, eût perdu; eussions perdu, eussiez perdu, eussent perdu
Imperativo	perds, perdons, perdez

Presente *Indicativo*	péris, péris, périt; périssons, périssez, périssent	*perecer*
Pret. Imp. *Indicativo*	périssais, périssais, périssait; périssions, périssiez, périssaient	
Pret. Indef. *Indicativo*	péris, péris, périt; pérîmes, pérîtes, périrent	
Fut. Imp. *Indicativo*	périrai, périras, périra; périrons, périrez, périront	
Potencial *Simple*	périrais, périrais, périrait; péririons, péririez, périraient	
Presente *Subjuntivo*	périsse, périsses, périsse; périssions, périssiez, périssent	
Pret. Imp. *Subjuntivo*	périsse, périsses, pérît; périssions, périssiez, périssent	
Pret. Perf. *Indicativo*	ai péri, as péri, a péri; avons péri, avez péri, ont péri	
Pret. Plus. *Indicativo*	avais péri, avais péri, avait péri; avions péri, aviez péri, avaient péri	
Pretérito *Anterior*	eus péri, eus péri, eut péri; eûmes péri, eûtes péri, eurent péri	
Fut. Perf. *Indicativo*	aurai péri, auras péri, aura péri; aurons péri, aurez péri, auront péri	
Potencial *Perfecto*	aurais péri, aurais péri, aurait péri; aurions péri, auriez péri, auraient péri	
Pret. Perf. *Subjuntivo*	aie péri, aies péri, ait péri; ayons péri, ayez péri, aient péri	
Pret. Plus. *Subjuntivo*	eusse péri, eusses péri, eût péri; eussions péri, eussiez péri, eussent péri	
Imperativo	péris, périssons, périssez	

Presente *Indicativo*	permets, permets, permet; permettons, permettez, permettent	*permitir*
Pret. Imp. *Indicativo*	permettais, permettais, permettait; permettions, permettiez, permettaient	
Pret. Indef. *Indicativo*	permis, permis, permit; permîmes, permîtes, permirent	
Fut. Imp. *Indicativo*	permettrai, permettras, permettra; permettrons, permettrez, permettront	
Potencial *Simple*	permettrais, permettrais, permettrait; permettrions, permettriez, permettraient	
Presente *Subjuntivo*	permette, permettes, permette; permettions, permettiez, permettent	
Pret. Imp. *Subjuntivo*	permisse, permisses, permît; permissions, permissiez, permissent	
Pret. Perf. *Indicativo*	ai permis, as permis, a permis; avons permis, avez permis, ont permis	
Pret. Plus. *Indicativo*	avais permis, avais permis, avait permis; avions permis, aviez permis, avaient permis	
Pretérito *Anterior*	eus permis, eus permis, eut permis; eûmes permis, eûtes permis, eurent permis	
Fut. Perf. *Indicativo*	aurai permis, auras permis, aura permis; aurons permis, aurez permis, auront permis	
Potencial *Perfecto*	aurais permis, aurais permis, aurait permis; aurions permis, auriez permis, auraient permis	
Pret. Perf. *Subjuntivo*	aie permis, aies permis, ait permis; ayons permis, ayez permis, aient permis	
Pret. Plus. *Subjuntivo*	eusse permis, eusses permis, eût permis; eussions permis, eussiez permis, eussent permis	
Imperativo	permets, permettons, permettez	

Presente	plais, plais, plaît;
Indicativo	plaisons, plaisez, plaisent
Pret. Imp.	plaisais, plaisais, plaisait;
Indicativo	plaisions, plaisiez, plaisaient
Pret. Indef.	plus, plus, plut;
Indicativo	plûmes, plûtes, plurent
Fut. Imp.	plairai, plairas, plaira;
Indicativo	plairons, plairez, plairont
Potencial	plairais, plairais, plairait;
Simple	plairions, plairiez, plairaient
Presente	plaise, plaises, plaise;
Subjuntivo	plaisions, plaisiez, plaisent
Pret. Imp.	plusse, plusses, plût;
Subjuntivo	plussions, plussiez, plussent
Pret. Perf.	ai plu, as plu, a plu;
Indicativo	avons plu, avez plu, ont plu
Pret. Plus.	avais plu, avais plu, avait plu;
Indicativo	avions plu, aviez plu, avaient plu
Pretérito	eus plu, eus plu, eut plu;
Anterior	eûmes plu, eûtes plu, eurent plu
Fut. Perf.	aurai plu, auras plu, aura plu;
Indicativo	aurons plu, aurez plu, auront plu
Potencial	aurais plu, aurais plu, aurait plu;
Perfecto	aurions plu, auriez plu, auraient plu
Pret. Perf.	aie plu, aies plu, ait plu;
Subjuntivo	ayons plu, ayez plu, aient plu
Pret. Plus.	eusse plu, eusses plu, eût plu;
Subjuntivo	eussions plu, eussiez plu, eussent plu
Imperativo	plais, plaisons, plaisez

agradar,
placer

Presente *Indicativo*	il pleut
Pret. Imp. *Indicativo*	il pleuvait
Pret. Indef. *Indicativo*	il plut
Fut. Imp. *Indicativo*	il pleuvra
Potencial *Simple*	il pleuvrait
Presente *Subjuntivo*	qu'il pleuve
Pret. Imp. *Subjuntivo*	qu'il plût
Pret. Perf. *Indicativo*	il a plu
Pret. Plus. *Indicativo*	il avait plu
Pretérito *Anterior*	il eut plu
Fut. Perf. *Indicativo*	il aura plu
Potencial *Perfecto*	il aurait plu
Pret. Perf. *Subjuntivo*	qu'il ait plu
Pret. Plus. *Subjuntivo*	qu'il eût plu
Imperativo	[no se emplea]

llover

Presente *Indicativo*	porte, portes, porte; portons, portez, portent
Pret. Imp. *Indicativo*	portais, portais, portait; portions, portiez, portaient
Pret. Indef. *Indicativo*	portai, portas, porta; portâmes, portâtes, portèrent
Fut. Imp. *Indicativo*	porterai, porteras, portera; porterons, porterez, porteront
Potencial *Simple*	porterais, porterais, porterait; porterions, porteriez, porteraient
Presente *Subjuntivo*	porte, portes, porte; portions, portiez, portent
Pret. Imp. *Subjuntivo*	portasse, portasses, portât; portassions, portassiez, portassent
Pret. Perf. *Indicativo*	ai porté, as porté, a porté; avons porté, avez porté, ont porté
Pret. Plus. *Indicativo*	avais porté, avais porté, avait porté; avions porté, aviez porté, avaient porté
Pretérito *Anterior*	eus porté, eus porté, eut porté; eûmes porté, eûtes porté, eurent porté
Fut. Perf. *Indicativo*	aurai porté, auras porté, aura porté; aurons porté, aurez porté, auront porté
Potencial *Perfecto*	aurais porté, aurais porté, aurait porté; aurions porté, auriez porté, auraient porté
Pret. Perf. *Subjuntivo*	aie porté, aies porté, ait porté; ayons porté, ayez porté, aient porté
Pret. Plus. *Subjuntivo*	eusse porté, eusses porté, eût porté; eussions porté, eussiez porté, eussent porté
Imperativo	porte, portons, portez

llevar

Presente *Indicativo*	pourvois, pourvois, pourvoit; pourvoyons, pourvoyez, pourvoient	*proveer*
Pret. Imp. *Indicativo*	pourvoyais, pourvoyais, pourvoyait; pourvoyions, pourvoyiez, pourvoyaient	
Pret. Indef. *Indicativo*	pourvus, pourvus, pourvut; pourvûmes, pourvûtes, pourvurent	
Fut. Imp. *Indicativo*	pourvoirai, pourvoiras, pourvoira; pourvoirons, pourvoirez, pourvoiront	
Potencial *Simple*	pourvoirais, pourvoirais, pourvoirait; pourvoirions, pourvoiriez, pourvoiraient	
Presente *Subjuntivo*	pourvoie, pourvoies, pourvoie; pourvoyions, pourvoyiez, pourvoient	
Pret. Imp. *Subjuntivo*	pourvusse, pourvusses, pourvût; pourvussions, pourvussiez, pourvussent	
Pret. Perf. *Indicativo*	ai pourvu, as pourvu, a pourvu; avons pourvu, avez pourvu, ont pourvu	
Pret. Plus. *Indicativo*	avais pourvu, avais pourvu, avait pourvu; avions pourvu, aviez pourvu, avaient pourvu	
Pretérito *Anterior*	eus pourvu, eus pourvu, eut pourvu; eûmes pourvu, eûtes pourvu, eurent pourvu	
Fut. Perf. *Indicativo*	aurai pourvu, auras pourvu, aura pourvu; aurons pourvu, aurez pourvu, auront pourvu	
Potencial *Perfecto*	aurais pourvu, aurais pourvu, aurait pourvu; aurions pourvu, auriez pourvu, auraient pourvu	
Pret. Perf. *Subjuntivo*	aie pourvu, aies pourvu, ait pourvu; ayons pourvu, ayez pourvu, aient pourvu	
Pret. Plus. *Subjuntivo*	eusse pourvu, eusses pourvu, eût pourvu; eussions pourvu, eussiez pourvu, eussent pourvu	
Imperativo	pourvois, pourvoyons, pourvoyez	

Presente *Indicativo*	peux *o* puis, peux, peut; pouvons, pouvez, peuvent

poder

Pret. Imp. *Indicativo*	pouvais, pouvais, pouvait; pouvions, pouviez, pouvaient
Pret. Indef. *Indicativo*	pus, pus, put; pûmes, pûtes, purent
Fut. Imp. *Indicativo*	pourrai, pourras, pourra; pourrons, pourrez, pourront
Potencial *Simple*	pourrais, pourrais, pourrait; pourrions, pourriez, pourraient
Presente *Subjuntivo*	puisse, puisses, puisse; puissions, puissiez, puissent
Pret. Imp. *Subjuntivo*	pusse, pusses, pût; pussions, pussiez, pussent
Pret. Perf. *Indicativo*	ai pu, as pu, a pu; avons pu, avez pu, ont pu
Pret. Plus. *Indicativo*	avais pu, avais pu, avait pu; avions pu, aviez pu, avaient pu
Pretérito *Anterior*	eus pu, eus pu, eut pu; eûmes pu, eûtes pu, eurent pu
Fut. Perf. *Indicativo*	aurai pu, auras pu, aura pu; aurons pu, aurez pu, auront pu
Potencial *Perfecto*	aurais pu, aurais pu, aurait pu; aurions pu, auriez pu, auraient pu
Pret. Perf. *Subjuntivo*	aie pu, aies pu, ait pu; ayons pu, ayez pu, aient pu
Pret. Plus. *Subjuntivo*	eusse pu, eusses pu, eût pu; eussions pu, eussiez pu, eussent pu
Imperativo	[no se emplea]

preferir

Presente *Indicativo*	préfère, préfères, préfère; préférons, préférez, préfèrent
Pret. Imp. *Indicativo*	préférais, préférais, préférait; préférions, préfériez, préféraient
Pret. Indef. *Indicativo*	préférai, préféras, préféra; préférâmes, préférâtes, préférèrent
Fut. Imp. *Indicativo*	préférerai, préféreras, préférera; préférerons, préférerez, préféreront
Potencial *Simple*	préférerais, préférerais, préférerait; préférerions, préféreriez, préféreraient
Presente *Subjuntivo*	préfère, préfères, préfère; préférions, préfériez, préfèrent
Pret. Imp. *Subjuntivo*	préférasse, préférasses, préférât; préférassions, préférassiez, préférassent
Pret. Perf. *Indicativo*	ai préféré, as préféré, a préféré; avons préféré, avez préféré, ont préféré
Pret. Plus. *Indicativo*	avais préféré, avais préféré, avait préféré; avions préféré, aviez préféré, avaient préféré
Pretérito *Anterior*	eus préféré, eus préféré, eut préféré; eûmes préféré, eûtes préféré, eurent préféré
Fut. Perf. *Indicativo*	aurai préféré, auras préféré, aura préféré; aurons préféré, aurez préféré, auront préféré
Potencial *Perfecto*	aurais préféré, aurais préféré, aurait préféré; aurions préféré, auriez préféré, auraient préféré
Pret. Perf. *Subjuntivo*	aie préféré, aies préféré, ait préféré; ayons préféré, ayez préféré, aient préféré
Pret. Plus. *Subjuntivo*	eusse préféré, eusses préféré, eût préféré; eussions préféré, eussiez préféré, eussent préféré
Imperativo	[**préfère, préférons, préférez**]

		tomar
Presente *Indicativo*	prends, prends, prend; prenons, prenez, prennent	
Pret. Imp. *Indicativo*	prenais, prenais, prenait; prenions, preniez, prenaient	
Pret. Indef. *Indicativo*	pris, pris, prit; prîmes, prîtes, prirent	
Fut. Imp. *Indicativo*	prendrai, prendras, prendra; prendrons, prendrez, prendront	
Potencial *Simple*	prendrais, prendrais, prendrait; prendrions, prendriez, prendraient	
Presente *Subjuntivo*	prenne, prennes, prenne; prenions, preniez, prennent	
Pret. Imp. *Subjuntivo*	prisse, prisses, prît; prissions, prissiez, prissent	
Pret. Perf. *Indicativo*	ai pris, as pris, a pris; avons pris, avez pris, ont pris	
Pret. Plus. *Indicativo*	avais pris, avais pris, avait pris; avions pris, aviez pris, avaient pris	
Pretérito *Anterior*	eus pris, eus pris, eut pris; eûmes pris, eûtes pris, eurent pris	
Fut. Perf. *Indicativo*	aurai pris, auras pris, aura pris; aurons pris, aurez pris, auront pris	
Potencial *Perfecto*	aurais pris, aurais pris, aurait pris; aurions pris, auriez pris, auraient pris	
Pret. Perf. *Subjuntivo*	aie pris, aies pris, ait pris; ayons pris, ayez pris, aient pris	
Pret. Plus. *Subjuntivo*	eusse pris, eusses pris, eût pris; eussions pris, eussiez pris, eussent pris	
Imperativo	prends, prenons, prenez	

Presente *Indicativo*	prête, prêtes, prête; prêtons, prêtez, prêtent	*prestar*
Pret. Imp. *Indicativo*	prêtais, prêtais, prêtait; prêtions, prêtiez, prêtaient	
Pret. Indef. *Indicativo*	prêtai, prêtas, prêta; prêtâmes, prêtâtes, prêtèrent	
Fut. Imp. *Indicativo*	prêterai, prêteras, prêtera; prêterons, prêterez, prêteront	
Potencial *Simple*	prêterais, prêterais, prêterait; prêterions, prêteriez, prêteraient	
Presente *Subjuntivo*	prête, prêtes, prête; prêtions, prêtiez, prêtent	
Pret. Imp. *Subjuntivo*	prêtasse, prêtasses, prêtât; prêtassions, prêtassiez, prêtassent	
Pret. Perf. *Indicativo*	ai prêté, as prêté, a prêté; avons prêté, avez prêté, ont prêté	
Pret. Plus. *Indicativo*	avais prêté, avais prêté, avait prêté; avions prêté, aviez prêté, avaient prêté	
Pretérito *Anterior*	eus prêté, eus prêté, eut prêté; eûmes prêté, eûtes prêté, eurent prêté	
Fut. Perf. *Indicativo*	aurai prêté, auras prêté, aura prêté; aurons prêté, aurez prêté, auront prêté	
Potencial *Perfecto*	aurais prêté, aurais prêté, aurait prêté; aurions prêté, auriez prêté, auraient prêté	
Pret. Perf. *Subjuntivo*	aie prêté, aies prêté, ait prêté; ayons prêté, ayez prêté, aient prêté	
Pret. Plus. *Subjuntivo*	eusse prêté, eusses prêté, eût prêté; eussions prêté, eussiez prêté, eussent prêté	
Imperativo	prête, prêtons, prêtez	

Presente *Indicativo*	prévois, prévois, prévoit; prévoyons, prévoyez, prévoient	*prever*
Pret. Imp. *Indicativo*	prévoyais, prévoyais, prévoyait; prévoyions, prévoyiez, prévoyaient	
Pret. Indef. *Indicativo*	prévis, prévis, prévit; prévîmes, prévîtes, prévirent	
Fut. Imp. *Indicativo*	prévoirai, prévoiras, prévoira; prévoirons, prévoirez, prévoiront	
Potencial *Simple*	prévoirais, prévoirais, prévoirait; prévoirions, prévoiriez, prévoiraient	
Presente *Subjuntivo*	prévoie, prévoies, prévoie; prévoyions, prévoyiez, prévoient	
Pret. Imp. *Subjuntivo*	prévisse, prévisses, prévît; prévissions, prévissiez, prévissent	
Pret. Perf. *Indicativo*	ai prévu, as prévu, a prévu; avons prévu, avez prévu, ont prévu	
Pret. Plus. *Indicativo*	avais prévu, avais prévu, avait prévu; avions prévu, aviez prévu, avaient prévu	
Pretérito *Anterior*	eus prévu, eus prévu, eut prévu; eûmes prévu, eûtes prévu, eurent prévu	
Fut. Perf. *Indicativo*	aurai prévu, auras prévu, aura prévu; aurons prévu, aurez prévu, auront prévu	
Potencial *Perfecto*	aurais prévu, aurais prévu, aurait prévu; aurions prévu, auriez prévu, auraient prévu	
Pret. Perf. *Subjuntivo*	aie prévu, aies prévu, ait prévu; ayons prévu, ayez prévu, aient prévu	
Pret. Plus. *Subjuntivo*	eusse prévu, eusses prévu, eût prévu; eussions prévu, eussiez prévu, eussent prévu	
Imperativo	prévois, prévoyons, prévoyez	

Presente *Indicativo*	me. promène, te promènes, se promène; nous promenons, vous promenez, se promènent	*pasearse*
Pret. Imp. *Indicativo*	me promenais, te promenais, se promenait; nous promenions, vous promeniez, se promenaient	
Pret. Indef. *Indicativo*	me promenai, te promenas, se promena; nous promenâmes, vous promenâtes, se promenèrent	
Fut. Imp. *Indicativo*	me promènerai, te promèneras, se promènera; nous promènerons, vous promènerez, se promèneront	
Potencial *Simple*	me promènerais, te promènerais, se promènerait; nous promènerions, vous promèneriez, se promèneraient	
Presente *Subjuntivo*	me promène, te promènes, se promène; nous promenions, vous promeniez, se promènent	
Pret. Imp. *Subjuntivo*	me promenasse, te promenasses, se promenât; nous promenassions, vous promenassiez, se promenassent	
Pret. Perf. *Indicativo*	me suis promené(e), t'es promené(e), s'est promené(e); nous sommes promené(e)s, vous êtes promené(e)(s), se sont promené(e)s	
Pret. Plus. *Indicativo*	m'étais promené(e), t'étais promené(e), s'était promené(e); nous étions promené(e)s, vous étiez promené(e)(s), s'étaient promené(e)s	
Pretérito *Anterior*	me fus promené(e), te fus promené(e), se fut promené(e); nous fûmes promené(e)s, vous fûtes promené(e)(s), se furent promené(e)s	
Fut. Perf. *Indicativo*	me serai promené(e), te seras promené(e), se sera promené(e); nous serons promené(e)s, vous serez promené(e)(s), se seront promené(e)s	
Potencial *Perfecto*	me serais promené(e), te serais promené(e), se serait promené(e); nous serions promené(e)s, vous seriez promené(e)(s), se seraient promené(e)s	
Pret. Perf. *Subjuntivo*	me sois promené(e), te sois promené(e), se soit promené(e); nous soyons promené(e)s, vous soyez promené(e)(s), se soient promené(e)s	
Pret. Plus. *Subjuntivo*	me fusse promené(e), te fusses promené(e), se fût promené(e); nous fussions promené(e)s, vous fussiez promené(e)(s), se fussent promené(e)s	
Imperativo	promène-toi, promenons-nous, promenez-vous	

promettre

prometer

Presente *Indicativo*	promets, promets, promet; promettons, promettez, promettent
Pret. Imp. *Indicativo*	promettais, promettais, promettait; promettions, promettiez, promettaient
Pret. Indef. *Indicativo*	promis, promis, promit; promîmes, promîtes, promirent
Fut. Imp. *Indicativo*	promettrai, promettras, promettra; promettrons, promettrez, promettront
Potencial *Simple*	promettrais, promettrais, promettrait; promettrions, promettriez, promettraient
Presente *Subjuntivo*	promette, promettes, promette; promettions, promettiez, promettent
Pret. Imp. *Subjuntivo*	promisse, promisses, promît; promissions, promissiez, promissent
Pret. Perf. *Indicativo*	ai promis, as promis, a promis; avons promis, avez promis, ont promis
Pret. Plus. *Indicativo*	avais promis, avais promis, avait promis; avions promis, aviez promis, avaient promis
Pretérito *Anterior*	eus promis, eus promis, eut promis; eûmes promis, eûtes promis, eurent promis
Fut. Perf. *Indicativo*	aurai promis, auras promis, aura promis; aurons promis, aurez promis, auront promis
Potencial *Perfecto*	aurais promis, aurais promis, aurait promis; aurions promis, auriez promis, auraient promis
Pret. Perf. *Subjuntivo*	aie promis, aies promis, ait promis; ayons promis, ayez promis, aient promis
Pret. Plus. *Subjuntivo*	eusse promis, eusses promis, eût promis; eussions promis, eussiez promis, eussent promis
Imperativo	promets, promettons, promettez

Presente *Indicativo*	prononce, prononces, prononce; prononçons, prononcez, prononcent	*pronunciar*
Pret. Imp. *Indicativo*	prononçais, prononçais, prononçait; prononcions, prononciez, prononçaient	
Pret. Indef. *Indicativo*	prononçai, prononças, prononça; prononçâmes, prononçâtes, prononcèrent	
Fut. Imp. *Indicativo*	prononcerai, prononceras, prononcera; prononcerons, prononcerez, prononceront	
Potencial *Simple*	prononcerais, prononcerais, prononcerait; prononcerions, prononceriez, prononceraient	
Presente *Subjuntivo*	prononce, prononces, prononce; prononcions, prononciez, prononcent	
Pret. Imp. *Subjuntivo*	prononçasse, prononçasses, prononçât; prononçassions, prononçassiez, prononçassent	
Pret. Perf. *Indicativo*	ai prononcé, as prononcé, a prononcé; avons prononcé, avez prononcé, ont prononcé	
Pret. Plus. *Indicativo*	avais prononcé, avais prononcé, avait prononcé; avions prononcé, aviez prononcé, avaient prononcé	
Pretérito *Anterior*	eus prononcé, eus prononcé, eut prononcé; eûmes prononcé, eûtes prononcé, eurent prononcé	
Fut. Perf. *Indicativo*	aurai prononcé, auras prononcé, aura prononcé; aurons prononcé, aurez prononcé, auront prononcé	
Potencial *Perfecto*	aurais prononcé, aurais prononcé, aurait prononcé; aurions prononcé, auriez prononcé, auraient prononcé	
Pret. Perf. *Subjuntivo*	aie prononcé, aies prononcé, ait prononcé; ayons prononcé, ayez prononcé, aient prononcé	
Pret. Plus. *Subjuntivo*	eusse prononcé, eusses prononcé, eût prononcé; eussions prononcé, eussiez prononcé, eussent prononcé	
Imperativo	prononce, prononçons, prononcez	

Presente *Indicativo*	punis, punis, punit; punissons, punissez, punissent	*castigar*
Pret. Imp. *Indicativo*	punissais, punissais, punissait; punissais, punissais, punissaient	
Pret. Indef. *Indicativo*	punis, punis, punit; punîmes, punîtes, punirent	
Fut. Imp. *Indicativo*	punirai, puniras, punira; punirons, punirez, puniront	
Potencial *Simple*	punirais, punirais, punirait; punirions, puniriez, puniraient	
Presente *Subjuntivo*	punisse, punisses, punisse; punissions, punissiez, punissent	
Pret. Imp. *Subjuntivo*	punisse, punisses, punît; punissions, punissiez, punissent	
Pret. Perf. *Indicativo*	ai puni, as puni, a puni; avons puni, avez puni, ont puni	
Pret. Plus. *Indicativo*	avais puni, avais puni, avait puni; avions puni, aviez puni, avaient puni	
Pretérito *Anterior*	eus puni, eus puni, eut puni; eûmes puni, eûtes puni, eurent puni	
Fut. Perf. *Indicativo*	aurai puni, auras puni, aura puni; aurons puni, aurez puni, auront puni	
Potencial *Perfecto*	aurais puni, aurais puni, aurait puni; aurions puni, auriez puni, auraient puni	
Pret. Perf. *Subjuntivo*	aie puni, aies puni, ait puni; ayons puni, ayez puni, aient puni	
Pret. Plus. *Subjuntivo*	eusse puni, eusses puni, eût puni; eussions puni, eussiez puni, eussent puni	
Imperativo	punis, punissons, punissez	

Presente *Indicativo*	quitte, quittes, quitte; quittons, quittez, quittent
Pret. Imp. *Indicativo*	quittais, quittais, quittait; quittions, quittiez, quittaient
Pret. Indef. *Indicativo*	quittai, quittas, quitta; quittâmes, quittâtes, quittèrent
Fut. Imp. *Indicativo*	quitterai, quitteras, quittera; quitterons, quitterez, quitteront
Potencial *Simple*	quitterais, quitterais, quitterait; quitterions, quitteriez, quitteraient
Presente *Subjuntivo*	quitte, quittes, quitte; quittions, quittiez, quittent
Pret. Imp. *Subjuntivo*	quittasse, quittasses, quittât; quittassions, quittassiez, quittassent
Pret. Perf. *Indicativo*	ai quitté, as quitté, a quitté; avons quitté, avez quitté, ont quitté
Pret. Plus. *Indicativo*	avais quitté, avais quitté, avait quitté; avions quitté, aviez quitté, avaient quitté
Pretérito *Anterior*	eus quitté, eus quitté, eut quitté; eûmes quitté, eûtes quitté, eurent quitté
Fut. Perf. *Indicativo*	aurai quitté, auras quitté, aura quitté; aurons quitté, aurez quitté, auront quitté
Potencial *Perfecto*	aurais quitté, aurais quitté, aurait quitté; aurions quitté, auriez quitté, auraient quitté
Pret. Perf. *Subjuntivo*	aie quitté, aies quitté, ait quitté; ayons quitté, ayez quitté, aient quitté
Pret. Plus. *Subjuntivo*	eusse quitté, eusses quitté, eût quitté; eussions quitté, eussiez quitté, eussent quitté
Imperativo	quitte, quittons, quittez

dejar,
abandonar

Presente *Indicativo*	raconte, racontes, raconte; racontons, racontez, racontent
Pret. Imp. *Indicativo*	racontais, racontais, racontait; racontions, racontiez, racontaient
Pret. Indef. *Indicativo*	racontai, racontas, raconta; racontâmes, racontâtes, racontèrent
Fut. Imp. *Indicativo*	raconterai, raconteras, racontera; raconterons, raconterez, raconteront
Potencial *Simple*	raconterais, raconterais, raconterait; raconterions, raconteriez, raconteraient
Presente *Subjuntivo*	raconte, racontes, raconte; racontions, racontiez, racontent
Pret. Imp. *Subjuntivo*	racontasse, racontasses, racontât; racontassions, racontassiez, racontassent
Pret. Perf. *Indicativo*	ai raconté, as raconté, a raconté; avons raconté, avez raconté, ont raconté
Pret. Plus. *Indicativo*	avais raconté, avais raconté, avait raconté; avions raconté, aviez raconté, avaient raconté
Pretérito *Anterior*	eus raconté, eus raconté, eut raconté; eûmes raconté, eûtes raconté, eurent raconté
Fut. Perf. *Indicativo*	aurai raconté, auras raconté, aura raconté; aurons raconté, aurez raconté, auront raconté
Potencial *Perfecto*	aurais raconté, aurais raconté, aurait raconté; aurions raconté, auriez raconté, auraient raconté
Pret. Perf. *Subjuntivo*	aie raconté, aies raconté, ait raconté; ayons raconté, ayez raconté, aient raconté
Pret. Plus. *Subjuntivo*	eusse raconté, eusses raconté, eût raconté; eussions raconté, eussiez raconté, eussent raconté
Imperativo	raconte, racontons, racontez

contar,
relatar,
narrar

Presente *Indicativo*	reçois, reçois, reçoit; recevons, recevez, reçoivent
Pret. Imp. *Indicativo*	recevais, recevais, recevait; recevions, receviez, recevaient
Pret. Indef. *Indicativo*	reçus, reçus, reçut; reçûmes, reçûtes, reçurent
Fut. Imp. *Indicativo*	recevrai, recevras, recevra; recevrons, recevrez, recevront
Potencial *Simple*	recevrais, recevrais, recevrait; recevrions, recevriez, recevraient
Presente *Subjuntivo*	reçoive, reçoives, reçoive; recevions, receviez, reçoivent
Pret. Imp. *Subjuntivo*	reçusse, reçusses, reçût; reçussions, reçussiez, reçussent
Pret. Perf. *Indicativo*	ai reçu, as reçu, a reçu; avons reçu, avez reçu, ont reçu
Pret. Plus. *Indicativo*	avais reçu, avais reçu, avait reçu; avions reçu, aviez reçu, avaient reçu
Pretérito *Anterior*	eus reçu, eus reçu, eut reçu; eûmes reçu, eûtes reçu, eurent reçu
Fut. Perf. *Indicativo*	aurai reçu, auras reçu, aura reçu; aurons reçu, aurez reçu, auront reçu
Potencial *Perfecto*	aurais reçu, aurais reçu, aurait reçu; aurions reçu, auriez reçu, auraient reçu
Pret. Perf. *Subjuntivo*	aie reçu, aies reçu, ait reçu; ayons reçu, ayez reçu, aient reçu
Pret. Plus. *Subjuntivo*	eusse reçu, eusses reçu, eût reçu; eussions reçu, eussiez reçu, eussent reçu
Imperativo	reçois, recevons, recevez

recibir

Presente *Indicativo*	regarde, regardes, regarde; regardons, regardez, regardent

mirar

Pret. Imp. *Indicativo*	regardais, regardais, regardait; regardions, regardiez, regardaient
Pret. Indef. *Indicativo*	regardai, regardas, regarda; regardâmes, regardâtes, regardèrent
Fut. Imp. *Indicativo*	regarderai, regarderas, regardera; regarderons, regarderez, regarderont
Potencial *Simple*	regarderais, regarderais, regarderait; regarderions, regarderiez, regarderaient
Presente *Subjuntivo*	regarde, regardes, regarde; regardions, regardiez, regardent
Pret. Imp. *Subjuntivo*	regardasse, regardasses, regardât; regardassions, regardassiez, regardassent
Pret. Perf. *Indicativo*	ai regardé, as regardé, a regardé; avons regardé, avez regardé, ont regardé
Pret. Plus. *Indicativo*	avais regardé, avais regardé, avait regardé; avions regardé, aviez regardé, avaient regardé
Pretérito *Anterior*	eus regardé, eus regardé, eut regardé; eûmes regardé, eûtes regardé, eurent regardé
Fut. Perf. *Indicativo*	aurai regardé, auras regardé, aura regardé; aurons regardé, aurez regardé, auront regardé
Potencial *Perfecto*	aurais regardé, aurais regardé, aurait regardé; aurions regardé, auriez regardé, auraient regardé
Pret. Perf. *Subjuntivo*	aie regardé, aies regardé, ait regardé; ayons regardé, ayez regardé, aient regardé
Pret. Plus. *Subjuntivo*	eusse regardé, eusses regardé, eût regardé; eussions regardé, eussiez regardé, eussent regardé
Imperativo	regarde, regardons, regardez

Presente *Indicativo*	remarque, remarques, remarque; remarquons, remarquez, remarquent
Pret. Imp. *Indicativo*	remarquais, remarquais, remarquait; remarquions, remarquiez, remarquaient
Pret. Indef. *Indicativo*	remarquai, remarquas, remarqua; remarquâmes, remarquâtes, remarquèrent
Fut. Imp. *Indicativo*	remarquerai, remarqueras, remarquera; remarquerons, remarquerez, remarqueront
Potencial *Simple*	remarquerais, remarquerais, remarquerait; remarquerions, remarqueriez, remarqueraient
Presente *Subjuntivo*	remarque, remarques, remarque; remarquions, remarquiez, remarquent
Pret. Imp. *Subjuntivo*	remarquasse, remarquasses, remarquât; remarquassions, remarquassiez, remarquassent
Pret. Perf. *Indicativo*	ai remarqué, as remarqué, a remarqué; avons remarqué, avez remarqué, ont remarqué
Pret. Plus. *Indicativo*	avais remarqué, avais remarqué, avait remarqué; avions remarqué, aviez remarqué, avaient remarqué
Pretérito *Anterior*	eus remarqué, eus remarqué, eut remarqué; eûmes remarqué, eûtes remarqué, eurent remarqué
Fut. Perf. *Indicativo*	aurai remarqué, auras remarqué, aura remarqué; aurons remarqué, aurez remarqué, auront remarqué
Potencial *Perfecto*	aurais remarqué, aurais remarqué, aurait remarqué; aurions remarqué, auriez remarqué, auraient remarqué
Pret. Perf. *Subjuntivo*	aie remarqué, aies remarqué, ait remarqué; ayons remarqué, ayez remarqué, aient remarqué
Pret. Plus. *Subjuntivo*	eusse remarqué, eusses remarqué, eût remarqué; eussions remarqué, eussiez remarqué, eussent remarqué
Imperativo	remarque, remarquons, remarquez

notar,
observar

remplacer

Presente	remplace, remplaces, remplace;	
Indicativo	remplaçons, remplacez, remplacent	*reemplazar*

Pret. Imp.
Indicativo — remplaçais, remplaçais, remplaçait; remplacions, remplaciez, remplaçaient

Pret. Indef.
Indicativo — remplaçai, remplaças, remplaça; remplaçâmes, remplaçâtes, remplacèrent

Fut. Imp.
Indicativo — remplacerai, remplaceras, remplacera; remplacerons, remplacerez, remplaceront

Potencial
Simple — remplacerais, remplacerais, remplacerait; remplacerions, remplaceriez, remplaceraient

Presente
Subjuntivo — remplace, remplaces, remplace; remplacions, remplaciez, remplacent

Pret. Imp.
Subjuntivo — remplaçasse, remplaçasses, remplaçât; remplaçassions, remplaçassiez, remplaçassent

Pret. Perf.
Indicativo — ai remplacé, as remplacé, a remplacé; avons remplacé, avez remplacé, ont remplacé

Pret. Plus.
Indicativo — avais remplacé, avais remplacé, avait remplacé; avions remplacé, aviez remplacé, avaient remplacé

Pretérito
Anterior — eus remplacé, eus remplacé, eut remplacé; eûmes remplacé, eûtes remplacé, eurent remplacé

Fut. Perf.
Indicativo — aurai remplacé, auras remplacé, aura remplacé; aurons remplacé, aurez remplacé, auront remplacé

Potencial
Perfecto — aurais remplacé, aurais remplacé, aurait remplacé; aurions remplacé, auriez remplacé, auraient remplacé

Pret. Perf.
Subjuntivo — aie remplacé, aies remplacé, ait remplacé; ayons remplacé, ayez remplacé, aient remplacé

Pret. Plus.
Subjuntivo — eusse remplacé, eusses remplacé, eût remplacé; eussions remplacé, eussiez remplacé, eussent remplacé

Imperativo — remplace, remplaçons, remplacez

Presente *Indicativo*	remplis, remplis, remplit; remplissons, remplissez, remplissent	
Pret. Imp. *Indicativo*	remplissais, remplissais, remplissait; remplissions, remplissiez, remplissaient	
Pret. Indef. *Indicativo*	remplis, remplis, remplit; remplîmes, remplîtes, remplirent	
Fut. Imp. *Indicativo*	remplirai, rempliras, remplira; remplirons, remplirez, rempliront	
Potencial *Simple*	remplirais, remplirais, remplirait; remplirions, rempliriez, rempliraient	
Presente *Subjuntivo*	remplisse, remplisses, remplisse; remplissions, remplissiez, remplissent	
Pret. Imp. *Subjuntivo*	remplisse, remplisses, remplît; remplissions, remplissiez, remplissent	
Pret. Perf. *Indicativo*	ai rempli, as rempli, a rempli; avons rempli, avez rempli, ont rempli	
Pret. Plus. *Indicativo*	avais rempli, avais rempli, avait rempli; avions rempli, aviez rempli, avaient rempli	
Pretérito *Anterior*	eus rempli, eus rempli, eut rempli; eûmes rempli, eûtes rempli, eurent rempli	
Fut. Perf. *Indicativo*	aurai rempli, auras rempli, aura rempli; aurons rempli, aurez rempli, auront rempli	
Potencial *Perfecto*	aurais rempli, aurais rempli, aurait rempli; aurions rempli, auriez rempli, auraient rempli	
Pret. Perf. *Subjuntivo*	aie rempli, aies rempli, ait rempli; ayons rempli, ayez rempli, aient rempli	
Pret. Plus. *Subjuntivo*	eusse rempli, eusses rempli, eût rempli; eussions rempli, eussiez rempli, eussent rempli	
Imperativo	remplis, remplissons, remplissez	

rellenar,
volver a llenar

Presente	rends, rends, rend;
Indicativo	rendons, rendez, rendent

devolver

Pret. Imp.	rendais, rendais, rendait;
Indicativo	rendions, rendiez, rendaient
Pret. Indef.	rendis, rendis, rendit;
Indicativo	rendîmes, rendîtes, rendirent
Fut. Imp.	rendrai, rendras, rendra;
Indicativo	rendrons, rendrez, rendront
Potencial	rendrais, rendrais, rendrait;
Simple	rendrions, rendriez, rendraient
Presente	rende, rendes, rende;
Subjuntivo	rendions, rendiez, rendent
Pret. Imp.	rendisse, rendisses, rendît;
Subjuntivo	rendissions, rendissiez, rendissent
Pret. Perf.	ai rendu, as rendu, a rendu;
Indicativo	avons rendu, avez rendu, ont rendu
Pret. Plus.	avais rendu, avais rendu, avait rendu;
Indicativo	avions rendu, aviez rendu, avaient rendu
Pretérito	eus rendu, eus rendu, eut rendu;
Anterior	eûmes rendu, eûtes rendu, eurent rendu
Fut. Perf.	aurai rendu, auras rendu, aura rendu;
Indicativo	aurons rendu, aurez rendu, auront rendu
Potencial	aurais rendu, aurais rendu, aurait rendu;
Perfecto	aurions rendu, auriez rendu, auraient rendu
Pret. Perf.	aie rendu, aies rendu, ait rendu;
Subjuntivo	ayons rendu, ayez rendu, aient rendu
Pret. Plus.	eusse rendu, eusses rendu, eût rendu;
Subjuntivo	eussions rendu, eussiez rendu, eussent rendu
Imperativo	rends, rendons, rendez

Presente *Indicativo*	rentre, rentres, rentre; rentrons, rentrez, rentrent

volver a entrar

Pret. Imp. *Indicativo*	rentrais, rentrais, rentrait; rentrions, rentriez, rentraient
Pret. Indef. *Indicativo*	rentrai, rentras, rentra; rentrâmes, rentrâtes, rentrèrent
Fut. Imp. *Indicativo*	rentrerai, rentreras, rentrera; rentrerons, rentrerez, rentreront
Potencial *Simple*	rentrerais, rentrerais, rentrerait; rentrerions, rentreriez, rentreraient
Presente *Subjuntivo*	rentre, rentres, rentre; rentrions, rentriez, rentrent
Pret. Imp. *Subjuntivo*	rentrasse, rentrasses, rentrât; rentrassions, rentrassiez, rentrassent
Pret. Perf. *Indicativo*	suis rentré(e), es rentré(e), est rentré(e); sommes rentré(e)s, êtes rentré(e)(s), sont rentré(e)s
Pret. Plus. *Indicativo*	étais rentré(e), étais rentré(e), était rentré(e); étions rentré(e)s, étiez rentré(e)(s), étaient rentré(e)s
Pretérito *Anterior*	fus rentré(e), fus rentré(e), fut rentré(e); fûmes rentré(e)s, fûtes rentré(e)(s), furent rentré(e)s
Fut. Perf. *Indicativo*	serai rentré(e), seras rentré(e), sera rentré(e); serons rentré(e)s, serez rentré(e)(s), seront rentré(e)s
Potencial *Perfecto*	serais rentré(e), serais rentré(e), serait rentré(e); serions rentré(e)s, seriez rentré(e)(s), seraient rentré(e)s
Pret. Perf. *Subjuntivo*	sois rentré(e), sois rentré(e), soit rentré(e); soyons rentré(e)s, soyez rentré(e)(s), soient rentré(e)s
Pret. Plus. *Subjuntivo*	fusse rentré(e), fusses rentré(e), fût rentré(e); fussions rentré(e)s, fussiez rentré(e)(s), fussent rentré(e)s
Imperativo	rentre, rentrons, rentrez

répéter

Presente *Indicativo*	répète, répètes, répète; répétons, répétez, répètent	
Pret. Imp. *Indicativo*	répétais, répétais, répétait; répétions, répétiez, répétaient	*repetir,* *ensayar (un papel* *de teatro)*
Pret. Indef. *Indicativo*	répétai, répétas, répéta; répétâmes, répétâtes, répétèrent	
Fut. Imp. *Indicativo*	répéterai, répéteras, répétera; répéterons, répéterez, répéteront	
Potencial *Simple*	répéterais, répéterais, répéterait; répéterions, répéteriez, répéteraient	
Presente *Subjuntivo*	répète, répètes, répète; répétions, répétiez, répètent	
Pret. Imp. *Subjuntivo*	répétasse, répétasses, répétât; répétassions, répétassiez, répétassent	
Pret. Perf. *Indicativo*	ai répété, as répété, a répété; avons répété, avez répété, ont répété	
Pret. Plus. *Indicativo*	avais répété, avais répété, avait répété; avions répété, aviez répété, avaient répété	
Pretérito *Anterior*	eus répété, eus répété, eut répété; eûmes répété, eûtes répété, eurent répété	
Fut. Perf. *Indicativo*	aurai répété, auras répété, aura répété; aurons répété, aurez répété, auront répété	
Potencial *Perfecto*	aurais répété, aurais répété, aurait répété; aurions répété, auriez répété, auraient répété	
Pret. Perf. *Subjuntivo*	aie répété, aies répété, ait répété; ayons répété, ayez répété, aient répété	
Pret. Plus. *Subjuntivo*	eusse répété, eusses répété, eût répété; eussions répété, eussiez répété, eussent répété	
Imperativo	répète, répétons, répétez	

répondre

Presente	réponds, réponds, répond;	***responder,***
Indicativo	répondons, répondez, répondent	***contestar***
Pret. Imp.	répondais, répondais, répondait;	
Indicativo	répondions, répondiez, répondaient	
Pret. Indef.	répondis, répondis, répondit;	
Indicativo	répondîmes, répondîtes, répondirent	
Fut. Imp.	répondrai, répondras, répondra;	
Indicativo	répondrons, répondrez, répondront	
Potencial	répondrais, répondrais, répondrait;	
Simple	répondrions, répondriez, répondraient	
Presente	réponde, répondes, réponde; .	
Subjuntivo	répondions, répondiez, répondent	
Pret. Imp.	répondisse, répondisses, répondît;	
Subjuntivo	répondissions, répondissiez, répondissent	
Pret. Perf.	ai répondu, as répondu, a répondu;	
Indicativo	avons répondu, avez répondu, ont répondu	
Pret. Plus.	avais répondu, avais répondu, avait répondu;	
Indicativo	avions répondu, aviez répondu, avaient répondu	
Pretérito	eus répondu, eus répondu, eut répondu;	
Anterior	eûmes répondu, eûtes répondu, eurent répondu	
Fut. Perf.	aurai répondu, auras répondu, aura répondu;	
Indicativo	aurons répondu, aurez répondu, auront répondu	
Potencial	aurais répondu, aurais répondu, aurait répondu;	
Perfecto	aurions répondu, auriez répondu, auraient répondu	
Pret. Perf.	aie répondu, aies répondu, ait répondu;	
Subjuntivo	ayons répondu, ayez répondu, aient répondu	
Pret. Plus.	eusse répondu, eusses répondu, eût répondu;	
Subjuntivo	eussions répondu, eussiez répondu, eussent répondu	
Imperativo	réponds, répondons, répondez	

Presente *Indicativo*	résous, résous, résout; résolvons, résolvez, résolvent	*resolver*
Pret. Imp. *Indicativo*	résolvais, résolvais, résolvait; résolvions, résolviez, résolvaient	
Pret. Indef. *Indicativo*	résolus, résolus, résolut; résolûmes, résolûtes, résolurent	
Fut. Imp. *Indicativo*	résoudrai, résoudras, résoudra; résoudrons, résoudrez, résoudront	
Potencial *Simple*	résoudrais, résoudrais, résoudrait; résoudrions, résoudriez, résoudraient	
Presente *Subjuntivo*	résolve, résolves, résolve; résolvions, résolviez, résolvent	
Pret. Imp. *Subjuntivo*	résolusse, résolusses, résolût; résolussions, résolussiez, résolussent	
Pret. Perf. *Indicativo*	ai résolu, as résolu, a résolu; avons résolu, avez résolu, ont résolu	
Pret. Plus. *Indicativo*	avais résolu, avais résolu, avait résolu; avions résolu, aviez résolu, avaient résolu	
Pretérito *Anterior*	eus résolu, eus résolu, eut résolu; eûmes résolu, eûtes résolu, eurent résolu	
Fut. Perf. *Indicativo*	aurai résolu, auras résolu, aura résolu; aurons résolu, aurez résolu, auront résolu	
Potencial *Perfecto*	aurais résolu, aurais résolu, aurait résolu; aurions résolu, auriez résolu, auraient résolu	
Pret. Perf. *Subjuntivo*	aie résolu, aies résolu, ait résolu; ayons résolu, ayez résolu, aient résolu	
Pret. Plus. *Subjuntivo*	eusse résolu, eusses résolu, eût résolu; eussions résolu, eussiez résolu, eussent résolu	
Imperativo	résous, résolvons, résolvez	

Presente *Indicativo*	reste, restes, reste; restons, restez, restent	*quedar,* *restar*
Pret. Imp. *Indicativo*	restais, restais, restait; restions, restiez, restaient	
Pret. Indef. *Indicativo*	restai, restas, resta; restâmes, restâtes, restèrent	
Fut. Imp. *Indicativo*	resterai, resteras, restera; resterons, resterez, resteront	
Potencial *Simple*	resterais, resterais, resterait; resterions, resteriez, resteraient	
Presente *Subjuntivo*	reste, restes, reste; restions, restiez, restent	
Pret. Imp. *Subjuntivo*	restasse, restasses, restât; restassions, restassiez, restassent	
Pret. Perf. *Indicativo*	suis resté(e), es resté(e), est resté(e); sommes resté(e)s, êtes resté(e)(s), sont resté(e)s	
Pret. Plus. *Indicativo*	étais resté(e), étais resté(e), était resté(e); étions resté(e)s, étiez resté(e)(s), étaient resté(e)s	
Pretérito *Anterior*	fus resté(e), fus resté(e), fut resté(e); fûmes resté(e)s, fûtes resté(e)(s), furent resté(e)s	
Fut. Perf. *Indicativo*	serai resté(e), seras resté(e), sera resté(e); serons resté(e)s, serez resté(e)(s), seront resté(e)s	
Potencial *Perfecto*	serais resté(e), serais resté(e), serait resté(e); serions resté(e)s, seriez resté(e)(s), seraient resté(e)s	
Pret. Perf. *Subjuntivo*	sois resté(e), sois resté(e), soit resté(e); soyons resté(e)s, soyez resté(e)(s), soient resté(e)s	
Pret. Plus. *Subjuntivo*	fusse resté(e), fusses resté(e), fût resté(e); fussions resté(e)s, fussiez resté(e)(s), fussent resté(e)s	
Imperativo	reste, restons, restez	

Presente *Indicativo*	retourne, retournes, retourne; retournons, retournez, retournent	*volver,* *revolver*
Pret. Imp. *Indicativo*	retournais, retournais, retournait; retournions, retourniez, retournaient	
Pret. Indef. *Indicativo*	retournai, retournas, retourna; retournâmes, retournâtes, retournèrent	
Fut. Imp. *Indicativo*	retournerai, retourneras, retournera; retournerons, retournerez, retourneront	
Potencial *Simple*	retournerais, retournerais, retournerait; retournerions, retourneriez, retourneraient	
Presente *Subjuntivo*	retourne, retournes, retourne; retournions, retourniez, retournent	
Pret. Imp. *Subjuntivo*	retournasse, retournasses, retournât; retournassions, retournassiez, retournassent	
Pret. Perf. *Indicativo*	suis retourné(e), es retourné(e), est retourné(e); sommes retourné(e)s, êtes retourné(e)(s), sont retourné(e)s	
Pret. Plus. *Indicativo*	étais retourné(e), étais retourné(e), était retourné(e); étions retourné(e)s, étiez retourné(e)(s), étaient retourné(e)s	
Pretérito *Anterior*	fus retourné(e), fus retourné(e), fut retourné(e); fûmes retourné(e)s, fûtes retourné(e)(s), furent retourné(e)s	
Fut. Perf. *Indicativo*	serai retourné(e), seras retourné(e), sera retourné(e); serons retourné(e)s, serez retourné(e)(s), seront retourné(e)s	
Potencial *Perfecto*	serais retourné(e), serais retourné(e), serait retourné(e); serions retourné(e)s, seriez retourné(e)(s), seraient retourné(e)s	
Pret. Perf. *Subjuntivo*	sois retourné(e), sois retourné(e), soit retourné(e); soyons retourné(e)s, soyez retourné(e)(s), soient retourné(e)s	
Pret. Plus. *Subjuntivo*	fusse retourné(e), fusses retourné(e), fût retourné(e); fussions retourné(e)s, fussiez retourné(e)(s), fussent retourné(e)s	
Imperativo	retourne, retournons, retournez	

Presente *Indicativo*	réussis, réussis, réussit; réussissons, réussissez, réussissent	*tener éxito,*
Pret. Imp. *Indicativo*	réussissais, réussissais, réussissait; réussissions, réussissiez, réussissaient	*lograr*
Pret. Indef. *Indicativo*	réussis, réussis, réussit; réussîmes, réussîtes, réussirent	
Fut. Imp. *Indicativo*	réussirai, réussiras, réussira; réussirons, réussirez, réussiront	
Potencial *Simple*	réussirais, réussirais, réussirait; réussirions, réussiriez, réussiraient	
Presente *Subjuntivo*	réussisse, réussisses, réussisse; réussissions, réussissiez, réussissent	
Pret. Imp. *Subjuntivo*	réussisse, réussisses, réussît; réussissions, réussissiez, réussissent	
Pret. Perf. *Indicativo*	ai réussi, as réussi, a réussi; avons réussi, avez réussi, ont réussi	
Pret. Plus. *Indicativo*	avais réussi, avais réussi, avait réussi; avions réussi, aviez réussi, avaient réussi	
Pretérito *Anterior*	eus réussi, eus réussi, eut réussi; eûmes réussi, eûtes réussi, eurent réussi	
Fut. Perf. *Indicativo*	aurai réussi, auras réussi, aura réussi; aurons réussi, aurez réussi, auront réussi	
Potencial *Perfecto*	aurais réussi, aurais réussi, aurait réussi; aurions réussi, auriez réussi, auraient réussi	
Pret. Perf. *Subjuntivo*	aie réussi, aies réussi, ait réussi; ayons réussi, ayez réussi, aient réussi	
Pret. Plus. *Subjuntivo*	eusse réussi, eusses réussi, eût réussi; eussions réussi, eussiez réussi, eussent réussi	
Imperativo	réussis, réussissons, réussissez	

Presente	me réveille, te réveilles, se réveille;	
Indicativo	nous réveillons, vous réveillez, se réveillent	*despertarse*

Pret. Imp. me réveillais, te réveillais, se réveillait;
Indicativo nous réveillions, vous réveilliez, se réveillaient

Pret. Indef. me réveillai, te réveillas, se réveilla;
Indicativo nous réveillâmes, vous réveillâtes, se réveillèrent

Fut. Imp. me réveillerai, te réveilleras, se réveillera;
Indicativo nous réveillerons, vous réveillerez, se réveilleront

Potencial me réveillerais, te réveillerais, se réveillerait;
Simple nous réveillerions, vous réveilleriez, se réveilleraient

Presente me réveille, te réveilles, se réveille;
Subjuntivo nous réveillions, vous réveilliez, se réveillent

Pret. Imp. me réveillasse, te réveillasses, se réveillât;
Subjuntivo nous réveillassions, vous réveillassiez, se réveillassent

Pret. Perf. me suis réveillé(e), t'es réveillé(e), s'est réveillé(e);
Indicativo nous sommes réveillé(e)s, vous êtes réveillé(e)(s), se sont réveillé(e)s

Pret. Plus. m'étais réveillé(e), t'étais réveillé(e), s'était réveillé(e);
Indicativo nous étions réveillé(e)s, vous étiez réveillé(e)(s), s'étaient réveillé(e)s

Pretérito me fus réveillé(e), te fus réveillé(e), se fut réveillé(e);
Anterior nous fûmes réveillé(e)s, vous fûtes réveillé(e)(s), se furent réveillé(e)s

Fut. Perf. me serai réveillé(e), te seras réveillé(e), se sera réveillé(e);
Indicativo nous serons réveillé(e)s, vous serez réveillé(e)(s), se seront réveillé(e)s

Potencial me serais réveillé(e), te serais réveillé(e), se serait réveillé(e);
Perfecto nous serions réveillé(e)s, vous seriez réveillé(e)(s), se seraient réveillé(e)s

Pret. Perf. me sois réveillé(e), te sois réveillé(e), se soit réveillé(e);
Subjuntivo nous soyons réveillé(e)s, vous soyez réveillé(e)(s), se soient réveillé(e)s

Pret. Plus. me fusse réveillé(e), te fusses réveillé(e), se fût réveillé(e);
Subjuntivo nous fussions réveillé(e)s, vous fussiez réveillé(e)(s), se fussent réveillé(e)s

Imperativo réveille-toi, réveillons-nous, réveillez-vous

Presente *Indicativo*	reviens, reviens, revient; revenons, revenez, reviennent	*regresar,*
Pret. Imp. *Indicativo*	revenais, revenais, revenait; revenions, reveniez, revenaient	*volver,* *venir otra vez*
Pret. Indef. *Indicativo*	revins, revins, revint; revînmes, revîntes, revinrent	
Fut. Imp. *Indicativo*	reviendrai, reviendras, reviendra; reviendrons, reviendrez, reviendront	
Potencial *Simple*	reviendrais, reviendrais, reviendrait; reviendrions, reviendriez, reviendraient	
Presente *Subjuntivo*	revienne, reviennes, revienne; revenions, reveniez, reviennent	
Pret. Imp. *Subjuntivo*	revinsse, revinsses, revînt; revinssions, revinssiez, revinssent	
Pret. Perf. *Indicativo*	suis revenu(e), es revenu(e), est revenu(e); sommes revenu(e)s, êtes revenu(e)(s), sont revenu(e)s	
Pret. Plus. *Indicativo*	étais revenu(e), étais revenu(e), était revenu(e); étions revenu(e)s, étiez revenu(e)(s), étaient revenu(e)s	
Pretérito *Anterior*	fus revenu(e), fus revenu(e), fut revenu(e); fûmes revenu(e)s, fûtes revenu(e)(s), furent revenu(e)s	
Fut. Perf. *Indicativo*	serai revenu(e), seras revenu(e), sera revenu(e); serons revenu(e)s, serez revenu(e)(s), seront revenu(e)s	
Potencial *Perfecto*	serais revenu(e), serais revenu(e), serait revenu(e); serions revenu(e)s, seriez revenu(e)(s), seraient revenu(e)s	
Pret. Perf. *Subjuntivo*	sois revenu(e), sois revenu(e), soit revenu(e); soyons revenu(e)s, soyez revenu(e)(s), soient revenu(e)s	
Pret. Plus. *Subjuntivo*	fusse revenu(e), fusses revenu(e), fût revenu(e); fussions revenu(e)s, fussiez revenu(e)(s), fussent revenu(e)s	
Imperativo	reviens, revenons, revenez	

Presente *Indicativo*	ris, ris, rit; rions, riez, rient	*reir*
Pret. Imp. *Indicativo*	riais, riais, riait; riions, riiez, riaient	
Pret. Indef. *Indicativo*	ris, ris, rit; rîmes, rîtes, rirent	
Fut. Imp. *Indicativo*	rirai, riras, rira; rirons, rirez, riront	
Potencial *Simple*	rirais, rirais, rirait; ririons, ririez, riraient	
Presente *Subjuntivo*	rie, ries, rie; riions, riiez, rient	
Pret. Imp. *Subjuntivo*	risse, risses, rît; rissions, rissiez, rissent	
Pret. Perf. *Indicativo*	ai ri, as ri, a ri; avons ri, avez ri, ont ri	
Pret. Plus. *Indicativo*	avais ri, avais ri, avait ri; avions ri, aviez ri, avaient ri	
Pretérito *Anterior*	eus ri, eus ri, eut ri; eûmes ri, eûtes ri, eurent ri	
Fut. Perf. *Indicativo*	aurai ri, auras ri, aura ri; aurons ri, aurez ri, auront ri	
Potencial *Perfecto*	aurais ri, aurais ri, aurait ri; aurions ri, auriez ri, auraient ri	
Pret. Perf. *Subjuntivo*	aie ri, aies ri, ait ri; ayons ri, ayez ri, aient ri	
Pret. Plus. *Subjuntivo*	eusse ri, eusses ri, eût ri; eussions ri, eussiez ri, eussent ri	
Imperativo	ris, rions, riez	

Presente *Indicativo*	romps, romps, rompt; rompons, rompez, rompent	*romper,* *quebrar*
Pret. Imp. *Indicativo*	rompais, rompais, rompait; rompions, rompiez, rompaient	
Pret. Indef. *Indicativo*	rompis, rompis, rompit; rompîmes, rompîtes, rompirent	
Fut. Imp. *Indicativo*	romprai, rompras, rompra; romprons, romprez, rompront	
Potencial *Simple*	romprais, romprais, romprait; romprions, rompriez, rompraient	
Presente *Subjuntivo*	rompe, rompes, rompe; rompions, rompiez, rompent	
Pret. Imp. *Subjuntivo*	rompisse, rompisses, rompît; rompissions, rompissiez, rompissent	
Pret. Perf. *Indicativo*	ai rompu, as rompu, a rompu; avons rompu, avez rompu, ont rompu	
Pret. Plus. *Indicativo*	avais rompu, avais rompu, avait rompu; avions rompu, aviez rompu, avaient rompu	
Pretérito *Anterior*	eus rompu, eus rompu, eut rompu; eûmes rompu, eûtes rompu, eurent rompu	
Fut. Perf. *Indicativo*	aurai rompu, auras rompu, aura rompu; aurons rompu, aurez rompu, auront rompu	
Potencial *Perfecto*	aurais rompu, aurais rompu, aurait rompu; aurions rompu, auriez rompu, auraient rompu	
Pret. Perf. *Subjuntivo*	aie rompu, aies rompu, ait rompu; ayons rompu, ayez rompu, aient rompu	
Pret. Plus. *Subjuntivo*	eusse rompu, eusses rompu, eût rompu; eussions rompu, eussiez rompu, eussent rompu	
Imperativo	romps, rompons, rompez	

Presente *Indicativo*	rougis, rougis, rougit; rougissons, rougissez, rougissent	*enrojecer,* *poner rojo*
Pret. Imp. *Indicativo*	rougissais, rougissais, rougissait; rougissions, rougissiez, rougissaient	
Pret. Indef. *Indicativo*	rougis, rougis, rougit; rougîmes, rougîtes, rougirent	
Fut. Imp. *Indicativo*	rougirai, rougiras, rougira; rougirons, rougirez, rougiront	
Potencial *Simple*	rougirais, rougirais, rougirait; rougirions, rougiriez, rougiraient	
Presente *Subjuntivo*	rougisse, rougisses, rougisse; rougissions, rougissiez, rougissent	
Pret. Imp. *Subjuntivo*	rougisse, rougisses, rougît; rougissions, rougissiez, rougissent	
Pret. Perf. *Indicativo*	ai rougi, as rougi, a rougi; avons rougi, avez rougi, ont rougi	
Pret. Plus. *Indicativo*	avais rougi, avais rougi, avait rougi; avions rougi, aviez rougi, avaient rougi	
Pretérito *Anterior*	eus rougi, eus rougi, eut rougi; eûmes rougi, eûtes rougi, eurent rougi	
Fut. Perf. *Indicativo*	aurai rougi, auras rougi, aura rougi; aurons rougi, aurez rougi, auront rougi	
Potencial *Perfecto*	aurais rougi, aurais rougi, aurait rougi; aurions rougi, auriez rougi, auraient rougi	
Pret. Perf. *Subjuntivo*	aie rougi, aies rougi, ait rougi; ayons rougi, ayez rougi, aient rougi	
Pret. Plus. *Subjuntivo*	eusse rougi, eusses rougi, eût rougi; eussions rougi, eussiez rougi, eussent rougi	
Imperativo	rougis, rougissons, rougissez	

Presente *Indicativo*	salis, salis, salit; salissons, salissez, salissent	*ensuciar*
Pret. Imp. *Indicativo*	salissais, salissais, salissait; salissions, salissiez, salissaient	
Pret. Indef. *Indicativo*	salis, salis, salit; salîmes, salîtes, salirent	
Fut. Imp. *Indicativo*	salirai, saliras, salira; salirons, salirez, saliront	
Potencial *Simple*	salirais, salirais, salirait; salirions, saliriez, saliraient	
Presente *Subjuntivo*	salisse, salisses, salisse; salissions, salissiez, salissent	
Pret. Imp. *Subjuntivo*	salisse, salisses, salît; salissions, salissiez, salissent	
Pret. Perf. *Indicativo*	ai sali, as sali, a sali; avons sali, avez sali, ont sali	
Pret. Plus. *Indicativo*	avais sali, avais sali, avait sali; avions sali, aviez sali, avaient sali	
Pretérito *Anterior*	eus sali, eus sali, eut sali; eûmes sali, eûtes sali, eurent sali	
Fut. Perf. *Indicativo*	aurai sali, auras sali, aura sali; aurons sali, aurez sali, auront sali	
Potencial *Perfecto*	aurais sali, aurais sali, aurait sali; aurions sali, auriez sali, auraient sali	
Pret. Perf. *Subjuntivo*	aie sali, aies sali, ait sali; ayons sali, ayez sali, aient sali	
Pret. Plus. *Subjuntivo*	eusse sali, eusses sali, eût sali; eussions sali, eussiez sali, eussent sali	
Imperativo	salis, salissons, salissez	

Presente *Indicativo*	saute, sautes, saute; sautons, sautez, sautent

saltar

Pret. Imp. *Indicativo*	sautais, sautais, sautait; sautions, sautiez, sautaient
Pret. Indef. *Indicativo*	sautai, sautas, sauta; sautâmes, sautâtes, sautèrent
Fut. Imp. *Indicativo*	sauterai, sauteras, sautera; sauterons, sauterez, sauteront
Potencial *Simple*	sauterais, sauterais, sauterait; sauterions, sauteriez, sauteraient
Presente *Subjuntivo*	saute, sautes, saute; sautions, sautiez, sautent
Pret. Imp. *Subjuntivo*	sautasse, sautasses, sautât; sautassions, sautassiez, sautassent
Pret. Perf. *Indicativo*	ai sauté, as sauté, a sauté; avons sauté, avez sauté, ont sauté
Pret. Plus. *Indicativo*	avais sauté, avais sauté, avait sauté; avions sauté, aviez sauté, avaient sauté
Pretérito *Anterior*	eus sauté, eus sauté, eut sauté; eûmes sauté, eûtes sauté, eurent sauté
Fut. Perf. *Indicativo*	aurai sauté, auras sauté, aura sauté; aurons sauté, aurez sauté, auront sauté
Potencial *Perfecto*	aurais sauté, aurais sauté, aurait sauté; aurions sauté, auriez sauté, auraient sauté
Pret. Perf. *Subjuntivo*	aie sauté, aies sauté, ait sauté; ayons sauté, ayez sauté, aient sauté
Pret. Plus. *Subjuntivo*	eusse sauté, eusses sauté, eût sauté; eussions sauté, eussiez sauté, eussent sauté
Imperativo	saute, sautons, sautez

Presente *Indicativo*	sais, sais, sait; savons, savez, savent	*saber*
Pret. Imp. *Indicativo*	savais, savais, savait; savions, saviez, savaient	
Pret. Indef. *Indicativo*	sus, sus, sut; sûmes, sûtes, surent	
Fut. Imp. *Indicativo*	saurai, sauras, saura; saurons, saurez, sauront	
Potencial *Simple*	saurais, saurais, saurait; saurions, sauriez, sauraient	
Presente *Subjuntivo*	sache, saches, sache; sachions, sachiez, sachent	
Pret. Imp. *Subjuntivo*	susse, susses, sût; sussions, sussiez, sussent	
Pret. Perf. *Indicativo*	ai su, as su, a su; avons su, avez su, ont su	
Pret. Plus. *Indicativo*	avais su, avais su, avait su; avions su, aviez su, avaient su	
Pretérito *Anterior*	eus su, eus su, eut su; eûmes su, eûtes su, eurent su	
Fut. Perf. *Indicativo*	aurai su, auras su, aura su; aurons su, aurez su, auront su	
Potencial *Perfecto*	aurais su, aurais su, aurait su; aurions su, auriez su, auraient su	
Pret. Perf. *Subjuntivo*	aie su, aies su, ait su; ayons su, ayez su, aient su	
Pret. Plus. *Subjuntivo*	eusse su, eusses su, eût su; eussions su, eussiez su, eussent su	
Imperativo	sache, sachons, sachez	

Presente *Indicativo*	sens, sens, sent; sentons, sentez, sentent	
Pret. Imp. *Indicativo*	sentais, sentais, sentait; sentions, sentiez, sentaient	*sentir,* *oler,* *olfatear*
Pret. Indef. *Indicativo*	sentis, sentis, sentit; sentîmes, sentîtes, sentirent	
Fut. Imp. *Indicativo*	sentirai, sentiras, sentira; sentirons, sentirez, sentiront	
Potencial *Simple*	sentirais, sentirais, sentirait; sentirions, sentiriez, sentiraient	
Presente *Subjuntivo*	sente, sentes, sente; sentions, sentiez, sentent	
Pret. Imp. *Subjuntivo*	sentisse, sentisses, sentît; sentissions, sentissiez, sentissent	
Pret. Perf. *Indicativo*	ai senti, as senti, a senti; avons senti, avez senti, ont senti	
Pret. Plus. *Indicativo*	avais senti, avais senti, avait senti; avions senti, aviez senti, avaient senti	
Pretérito *Anterior*	eus senti, eus senti, eut senti; eûmes senti, eûtes senti, eurent senti	
Fut. Perf. *Indicativo*	aurai senti, auras senti, aura senti; aurons senti, aurez senti, auront senti	
Potencial *Perfecto*	aurais senti, aurais senti, aurait senti; aurions senti, auriez senti, auraient senti	
Pret. Perf. *Subjuntivo*	aie senti, aies senti, ait senti; ayons senti, ayez senti, aient senti	
Pret. Plus. *Subjuntivo*	eusse senti, eusses senti, eût senti; eussions senti, eussiez senti, eussent senti	
Imperativo	sens, sentons, sentez	

Presente *Indicativo*	sers, sers, sert; servons, servez, servent
Pret. Imp. *Indicativo*	servais, servais, servait; servions, serviez, servaient
Pret. Indef. *Indicativo*	servis, servis, servit; servîmes, servîtes, servirent
Fut. Imp. *Indicativo*	servirai, serviras, servira; servirons, servirez, serviront
Potencial *Simple*	servirais, servirais, servirait; servirions, serviriez, serviraient
Presente *Subjuntivo*	serve, serves, serve; servions, serviez, servent
Pret. Imp. *Subjuntivo*	servisse, servisses, servît; servissions, servissiez, servissent
Pret. Perf. *Indicativo*	ai servi, as servi, a servi; avons servi, avez servi, ont servi
Pret. Plus. *Indicativo*	avais servi, avais servi, avait servi; avions servi, aviez servi, avaient servi
Pretérito *Anterior*	eus servi, eus servi, eut servi; eûmes servi, eûtes servi, eurent servi
Fut. Perf. *Indicativo*	aurai servi, auras servi, aura servi; aurons servi, aurez servi, auront servi
Potencial *Perfecto*	aurais servi, aurais servi, aurait servi; aurions servi, auriez servi, auraient servi
Pret. Perf. *Subjuntivo*	aie servi, aies servi, ait servi; ayons servi, ayez servi, aient servi
Pret. Plus. *Subjuntivo*	eusse servi, eusses servi, eût servi; eussions servi, eussiez servi, eussent servi
Imperativo	sers, servons, servez

servir

Presente *Indicativo*	songe, songes, songe; songeons, songez, songent	*soñar,* *ensoñar,* *pensar*
Pret. Imp. *Indicativo*	songeais, songeais, songeait; songions, songiez, songeaient	
Pret. Indef. *Indicativo*	songeai, songeas, songea; songeâmes, songeâtes, songèrent	
Fut. Imp. *Indicativo*	songerai, songeras, songera; songerons, songerez, songeront	
Potencial *Simple*	songerais, songerais, songerait; songerions, songeriez, songeraient	
Presente *Subjuntivo*	songe, songes, songe; songions, songiez, songent	
Pret. Imp. *Subjuntivo*	songeasse, songeasses, songeât; songeassions, songeassiez, songeassent	
Pret. Perf. *Indicativo*	ai songé, as songé, a songé; avons songé, avez songé, ont songé	
Pret. Plus. *Indicativo*	avais songé, avais songé, avait songé; avions songé, aviez songé, avaient songé	
Pretérito *Anterior*	eus songé, eus songé, eut songé; eûmes songé, eûtes songé, eurent songé	
Fut. Perf. *Indicativo*	aurai songé, auras songé, aura songé; aurons songé, aurez songé, auront songé	
Potencial *Perfecto*	aurais songé, aurais songé, aurait songé; aurions songé, auriez songé, auraient songé	
Pret. Perf. *Subjuntivo*	aie songé, aies songé, ait songé; ayons songé, ayez songé, aient songé	
Pret. Plus. *Subjuntivo*	eusse songé, eusses songé, eût songé; eussions songé, eussiez songé, eussent songé	
Imperativo	songe, songeons, songez	

Presente *Indicativo*	sors, sors, sort; sortons, sortez, sortent
Pret. Imp. *Indicativo*	sortais, sortais, sortait; sortions, sortiez, sortaient
Pret. Indef. *Indicativo*	sortis, sortis, sortit; sortîmes, sortîtes, sortirent
Fut. Imp. *Indicativo*	sortirai, sortiras, sortira; sortirons, sortirez, sortiront
Potencial *Simple*	sortirais, sortirais, sortirait; sortirions, sortiriez, sortiraient
Presente *Subjuntivo*	sorte, sortes, sorte; sortions, sortiez, sortent
Pret. Imp. *Subjuntivo*	sortisse, sortisses, sortît; sortissions, sortissiez, sortissent
Pret. Perf. *Indicativo*	suis sorti(e), es sorti(e), est sorti(e); sommes sorti(e)s, êtes sorti(e)(s), sont sorti(e)s
Pret. Plus. *Indicativo*	étais sorti(e), étais sorti(e), était sorti(e); étions sorti(e)s, étiez sorti(e)(s), étaient sorti(e)s
Pretérito *Anterior*	fus sorti(e), fus sorti(e), fut sorti(e); fûmes sorti(e)s, fûtes sorti(e)(s), furent sorti(e)s
Fut. Perf. *Indicativo*	serai sorti(e), seras sorti(e), sera sorti(e); serons sorti(e)s, serez sorti(e)(s), seront sorti(e)s
Potencial *Perfecto*	serais sorti(e), serais sorti(e), serait sorti(e); serions sorti(e)s, seriez sorti(e)(s), seraient sorti(e)s
Pret. Perf. *Subjuntivo*	sois sorti(e), sois sorti(e), soit sorti(e); soyons sorti(e)s, soyez sorti(e)(s), soient sorti(e)s
Pret. Plus. *Subjuntivo*	fusse sorti(e), fusses sorti(e), fût sorti(e); fussions sorti(e)s, fussiez sorti(e)(s), fussent sorti(e)s
Imperativo	sors, sortons, sortez

salir

Presente *Indicativo*	il suffit	*bastar*
Pret. Imp. *Indicativo*	il suffisait	
Pret. Indef. *Indicativo*	il suffit	
Fut. Imp. *Indicativo*	il suffira	
Potencial *Simple*	il suffirait	
Presente *Subjuntivo*	qu'il suffise	
Pret. Imp. *Subjuntivo*	qu'il suffît	
Pret. Perf. *Indicativo*	il a suffi	
Pret. Plus. *Indicativo*	il avait suffi	
Pretérito *Anterior*	il eut suffi	
Fut. Perf. *Indicativo*	il aura suffi	
Potencial *Perfecto*	il aurait suffi	
Pret. Perf. *Subjuntivo*	qu'il ait suffi	
Pret. Plus. *Subjuntivo*	qu'il eût suffi	
Imperativo	[no se emplea]	

Presente *Indicativo*	suis, suis, suit; suivons, suivez, suivent	*seguir*
Pret. Imp. *Indicativo*	suivais, suivais, suivait; suivions, suiviez, suivaient	
Pret. Indef. *Indicativo*	suivis, suivis, suivit; suivîmes, suivîtes, suivirent	
Fut. Imp. *Indicativo*	suivrai, suivras, suivra; suivrons, suivrez, suivront	
Potencial *Simple*	suivrais, suivrais, suivrait; suivrions, suivriez, suivraient	
Presente *Subjuntivo*	suive, suives, suive; suivions, suiviez, suivent	
Pret. Imp. *Subjuntivo*	suivisse, suivisses, suivît; suivissions, suivissiez, suivissent	
Pret. Perf. *Indicativo*	ai suivi, as suivi, a suivi; avons suivi, avez suivi, ont suivi	
Pret. Plus. *Indicativo*	avais suivi, avais suivi, avait suivi; avions suivi, aviez suivi, avaient suivi	
Pretérito *Anterior*	eus suivi, eus suivi, eut suivi; eûmes suivi, eûtes suivi, eurent suivi	
Fut. Perf. *Indicativo*	aurai suivi, auras suivi, aura suivi; aurons suivi, aurez suivi, auront suivi	
Potencial *Perfecto*	aurais suivi, aurais suivi, aurait suivi; aurions suivi, auriez suivi, auraient suivi	
Pret. Perf. *Subjuntivo*	aie suivi, aies suivi, ait suivi; ayons suivi, ayez suivi, aient suivi	
Pret. Plus. *Subjuntivo*	eusse suivi, eusses suivi, eût suivi; eussions suivi, eussiez suivi, eussent suivi	
Imperativo	suis, suivons, suivez	

Presente	me tais, te tais, se tait;	
Indicativo	nous taisons, vous taisez, se taisent	*callarse,*
Pret. Imp.	me taisais, te taisais, se taisait;	*guardar silencio*
Indicativo	nous taisions, vous taisiez, se taisaient	
Pret. Indef.	me tus, te tus, se tut;	
Indicativo	nous tûmes, vous tûtes, se turent	
Fut. Imp.	me tairai, te tairas, se taira;	
Indicativo	nous tairons, vous tairez, se tairont	
Potencial	me tairais, te tairais, se tairait;	
Simple	nous tairions, vous tairiez, se tairaient	
Presente	me taise, te taises, se taise;	
Subjuntivo	nous taisions, vous taisiez, se taisent	
Pret. Imp.	me tusse, te tusses, se tût;	
Subjuntivo	nous tussions, vous tussiez, se tussent	
Pret. Perf.	me suis tu(e), t'es tu(e), s'est tu(e);	
Indicativo	nous sommes tu(e)s, vous êtes tu(e)(s), se sont tu(e)s	
Pret. Plus.	m'étais tu(e), t'étais tu(e), s'était tu(e);	
Indicativo	nous étions tu(e)s, vous étiez tu(e)(s), s'étaient tu(e)s	
Pretérito	me fus tu(e), te fus tu(e), se fut tu(e);	
Anterior	nous fûmes tu(e)s, vous fûtes tu(e)(s), se furent tu(e)s	
Fut. Perf.	me serai tu(e), te seras tu(e), se sera tu(e);	
Indicativo	nous serons tu(e)s, vous serez tu(e)(s), se seront tu(e)s	
Potencial	me serais tu(e), te serais tu(e), se serait tu(e);	
Perfecto	nous serions tu(e)s, vous seriez tu(e)(s), se seraient tu(e)s	
Pret. Perf.	me sois tu(e), te sois tu(e), se soit tu(e);	
Subjuntivo	nous soyons tu(e)s, vous soyez tu(e)(s), se soient tu(e)s	
Pret. Plus.	me fusse tu(e) te fusses tu(e), se fût tu(e);	
Subjuntivo	nous fussions tu(e)s, vous fussiez tu(e)(s), se fussent tu(e)s	
Imperativo	tais-toi, taisons-nous, taisez-vous	

Presente *Indicativo*	tiens, tiens, tient; tenons, tenez, tiennent
Pret. Imp. *Indicativo*	tenais, tenais, tenait; tenions, teniez, tenaient
Pret. Indef. *Indicativo*	tins, tins, tint; tînmes, tîntes, tinrent
Fut. Imp. *Indicativo*	tiendrai, tiendras, tiendra; tiendrons, tiendrez, tiendront
Potencial *Simple*	tiendrais, tiendrais, tiendrait; tiendrions, tiendriez, tiendraient
Presente *Subjuntivo*	tienne, tiennes, tienne; tenions, teniez, tiennent
Pret. Imp. *Subjuntivo*	tinsse, tinsses, tînt; tinssions, tinssiez, tinssent
Pret. Perf. *Indicativo*	ai tenu, as tenu, a tenu; avons tenu, avez tenu, ont tenu
Pret. Plus. *Indicativo*	avais tenu, avais tenu, avait tenu; avions tenu, aviez tenu, avaient tenu
Pretérito *Anterior*	eus tenu, eus tenu, eut tenu; eûmes tenu, eûtes tenu, eurent tenu
Fut. Perf. *Indicativo*	aurai tenu, auras tenu, aura tenu; aurons tenu, aurez tenu, auront tenu
Potencial *Perfecto*	aurais tenu, aurais tenu, aurait tenu; aurions tenu, auriez tenu, auraient tenu
Pret. Perf. *Subjuntivo*	aie tenu, aies tenu, ait tenu; ayons tenu, ayez tenu, aient tenu
Pret. Plus. *Subjuntivo*	eusse tenu, eusses tenu, eût tenu; eussions tenu, eussiez tenu, eussent tenu
Imperativo	tiens, tenons, tenez

tener

Presente *Indicativo*	tombe, tombes, tombe; tombons, tombez, tombent	*caer*
Pret. Imp. *Indicativo*	tombais, tombais, tombait; tombions, tombiez, tombaient	
Pret. Indef. *Indicativo*	tombai, tombas, tomba; tombâmes, tombâtes, tombèrent	
Fut. Imp. *Indicativo*	tomberai, tomberas, tombera; tomberons, tomberez, tomberont	
Potencial *Simple*	tomberais, tomberais, tomberait; tomberions, tomberiez, tomberaient	
Presente *Subjuntivo*	tombe, tombes, tombe; tombions, tombiez, tombent	
Pret. Imp. *Subjuntivo*	tombasse, tombasses, tombât; tombassions, tombassiez, tombassent	
Pret. Perf. *Indicativo*	suis tombé(e), es tombé(e), est tombé(e); sommes tombé(e)s, êtes tombé(e)(s), sont tombé(e)s	
Pret. Plus. *Indicativo*	étais tombé(e), étais tombé(e), était tombé(e); étions tombé(e)s, étiez tombé(e)(s), étaient tombé(e)s	
Pretérito *Anterior*	fus tombé(e), fus tombé(e), fut tombé(e); fûmes tombé(e)s, fûtes tombé(e)(s), furent tombé(e)s	
Fut. Perf. *Indicativo*	serai tombé(e), seras tombé(e), sera tombé(e); serons tombé(e)s, serez tombé(e)(s), seront tombé(e)s	
Potencial *Perfecto*	serais tombé(e), serais tombé(e), serait tombé(e); serions tombé(e)s, seriez tombé(e)(s), seraient tombé(e)s	
Pret. Perf. *Subjuntivo*	sois tombé(e), sois tombé(e), soit tombé(e); soyons tombé(e)s, soyez tombé(e)(s), soient tombé(e)s	
Pret. Plus. *Subjuntivo*	fusse tombé(e), fusses tombé(e), fût tombé(e); fussions tombé(e)s, fussiez tombé(e)(s), fussent tombé(e)s	
Imperativo	tombe, tombons, tombez	

Presente *Indicativo*	traduis, traduis, traduit; traduisons, traduisez, traduisent

traducir

Pret. Imp. *Indicativo*	traduisais, traduisais, traduisait; traduisions, traduisiez, traduisaient
Pret. Indef. *Indicativo*	traduisis, traduisis, traduisit; traduisîmes, traduisîtes, traduisirent
Fut. Imp. *Indicativo*	traduirai, traduiras, traduira; traduirons, traduirez, traduiront
Potencial *Simple*	traduirais, traduirais, traduirait; traduirions, traduiriez, traduiraient
Presente *Subjuntivo*	traduise, traduises, traduise; traduisions, traduisiez, traduisent
Pret. Imp. *Subjuntivo*	traduisisse, traduisisses, traduisît; traduisissions, traduisissiez, traduisissent
Pret. Perf. *Indicativo*	ai traduit, as traduit, a traduit; avons traduit, avez traduit, ont traduit
Pret. Plus. *Indicativo*	avais traduit, avais traduit, avait traduit; avions traduit, aviez traduit, avaient traduit
Pretérito *Anterior*	eus traduit, eus traduit, eut traduit; eûmes traduit, eûtes traduit, eurent traduit
Fut. Perf. *Indicativo*	aurai traduit, auras traduit, aura traduit; aurons traduit, aurez traduit, auront traduit
Potencial *Perfecto*	aurais traduit, aurais traduit, aurait traduit; aurions traduit, auriez traduit, auraient traduit
Pret. Perf. *Subjuntivo*	aie traduit, aies traduit, ait traduit; ayons traduit, ayez traduit, aient traduit
Pret. Plus. *Subjuntivo*	eusse traduit, eusses traduit, eût traduit; eussions traduit, eussiez traduit, eussent traduit
Imperativo	traduis, traduisons, traduisez

Presente	travaille, travailles, travaille;	
Indicativo	travaillons, travaillez, travaillent	*trabajar*
Pret. Imp.	travaillais, travaillais, travaillait;	
Indicativo	travaillions, travailliez, travaillaient	
Pret. Indef.	travaillai, travaillas, travailla;	
Indicativo	travaillâmes, travaillâtes, travaillèrent	
Fut. Imp.	travaillerai, travailleras, travaillera;	
Indicativo	travaillerons, travaillerez, travailleront	
Potencial	travaillerais, travaillerais, travaillerait;	
Simple	travaillerions, travailleriez, travailleraient	
Presente	travaille, travailles, travaille;	
Subjuntivo	travaillions, travailliez, travaillent	
Pret. Imp.	travaillasse, travaillasses, travaillât;	
Subjuntivo	travaillassions, travaillassiez, travaillassent	
Pret. Perf.	ai travaillé, as travaillé, a travaillé;	
Indicativo	avons travaillé, avez travaillé, ont travaillé	
Pret. Plus.	avais travaillé, avais travaillé, avait travaillé;	
Indicativo	avions travaillé, aviez travaillé, avaient travaillé	
Pretérito	eus travaillé, eus travaillé, eut travaillé;	
Anterior	eûmes travaillé, eûtes travaillé, eurent travaillé	
Fut. Perf.	aurai travaillé, auras travaillé, aura travaillé;	
Indicativo	aurons travaillé, aurez travaillé, auront travaillé	
Potencial	aurais travaillé, aurais travaillé, aurait travaillé;	
Perfecto	aurions travaillé, auriez travaillé, auraient travaillé	
Pret. Perf.	aie travaillé, aies travaillé, ait travaillé;	
Subjuntivo	ayons travaillé, ayez travaillé, aient travaillé	
Pret. Plus.	eusse travaillé, eusses travaillé, eût travaillé;	
Subjuntivo	eussions travaillé, eussiez travaillé, eussent travaillé	
Imperativo	travaille, travaillons, travaillez	

trouver

hallar, encontrar

Presente *Indicativo*	trouve, trouves, trouve; trouvons, trouvez, trouvent
Pret. Imp. *Indicativo*	trouvais, trouvais, trouvait; trouvions, trouviez, trouvaient
Pret. Indef. *Indicativo*	trouvai, trouvas, trouva; trouvâmes, trouvâtes, trouvèrent
Fut. Imp. *Indicativo*	trouverai, trouveras, trouvera; trouverons, trouverez, trouveront
Potencial *Simple*	trouverais, trouverais, trouverait; trouverions, trouveriez, trouveraient
Presente *Subjuntivo*	trouve, trouves, trouve; trouvions, trouviez, trouvent
Pret. Imp. *Subjuntivo*	trouvasse, trouvasses, trouvât; trouvassions trouvassiez, trouvassent
Pret. Perf. *Indicativo*	ai trouvé, as trouvé, a trouvé; avons trouvé, avez trouvé, ont trouvé
Pret. Plus. *Indicativo*	avais trouvé, avais trouvé, avait trouvé; avions trouvé, aviez trouvé, avaient trouvé
Pretérito *Anterior*	eus trouvé, eus trouvé, eut trouvé; eûmes trouvé, eûtes trouvé, eurent trouvé
Fut. Perf. *Indicativo*	aurai trouvé, auras trouvé, aura trouvé; aurons trouvé, aurez trouvé, auront trouvé
Potencial *Perfecto*	aurais trouvé, aurais trouvé, aurait trouvé; aurions trouvé, auriez trouvé, auraient trouvé
Pret. Perf. *Subjuntivo*	aie trouvé, aies trouvé, ait trouvé; ayons trouvé, ayez trouvé, aient trouvé
Pret. Plus. *Subjuntivo*	eusse trouvé, eusses trouvé, eût trouvé; eussions trouvé, eussiez trouvé, eussent trouvé
Imperativo	trouve, trouvons, trouvez

Presente	vaincs, vaincs, vainc;	
Indicativo	vainquons, vainquez, vainquent	*vencer*
Pret. Imp.	vainquais, vainquais, vainquait;	
Indicativo	vainquions, vainquiez, vainquaient	
Pret. Indef.	vainquis, vainquis, vainquit;	
Indicativo	vainquîmes, vainquîtes, vainquirent	
Fut. Imp.	vaincrai, vaincras, vaincra;	
Indicativo	vaincrons, vaincrez, vaincront	
Potencial	vaincrais, vaincrais, vaincrait;	
Simple	vaincrions, vaincriez, vaincraient	
Presente	vainque, vainques, vainque;	
Subjuntivo	vainquions, vainquiez, vainquent	
Pret. Imp.	vainquisse, vainquisses, vainquît;	
Subjuntivo	vainquissions, vainquissiez, vainquissent	
Pret. Perf.	ai vaincu, as vaincu, a vaincu;	
Indicativo	avons vaincu, avez vaincu, ont vaincu	
Pret. Plus.	avais vaincu, avais vaincu, avait vaincu;	
Indicativo	avions vaincu, aviez vaincu, avaient vaincu	
Pretérito	eus vaincu, eus vaincu, eut vaincu;	
Anterior	eûmes vaincu, eûtes vaincu, eurent vaincu	
Fut. Perf.	aurai vaincu, auras vaincu, aura vaincu;	
Indicativo	aurons vaincu, aurez vaincu, auront vaincu	
Potencial	aurais vaincu, aurais vaincu, aurait vaincu;	
Perfecto	aurions vaincu, auriez vaincu, auraient vaincu	
Pret. Perf.	aie vaincu, aies vaincu, ait vaincu;	
Subjuntivo	ayons vaincu, ayez vaincu, aient vaincu	
Pret. Plus.	eusse vaincu, eusses vaincu, eût vaincu;	
Subjuntivo	eussions vaincu, eussiez vaincu, eussent vaincu	
Imperativo	vaincs, vainquons, vainquez	

Presente *Indicativo*	vaux, vaux, vaut; valons, valez, valent	*valer*
Pret. Imp. *Indicativo*	valais, valais, valait; valions, valiez, valaient	
Pret. Indef. *Indicativo*	valus, valus, valut; valûmes, valûtes, valurent	
Fut. Imp. *Indicativo*	vaudrai, vaudras, vaudra; vaudrons, vaudrez, vaudront	
Potencial *Simple*	vaudrais, vaudrais, vaudrait; vaudrions, vaudriez, vaudraient	
Presente *Subjuntivo*	vaille, vailles, vaille; valions, valiez, vaillent	
Pret. Imp. *Subjuntivo*	valusse, valusses, valût; valussions, valussiez, valussent	
Pret. Perf. *Indicativo*	ai valu, as valu, a valu; avons valu, avez valu, ont valu	
Pret. Plus. *Indicativo*	avais valu, avais valu, avait valu; avions valu, aviez valu, avaient valu	
Pretérito *Anterior*	eus valu, eus valu, eut valu; eûmes valu, eûtes valu, eurent valu	
Fut. Perf. *Indicativo*	aurai valu, auras valu, aura valu; aurons valu, aurez valu, auront valu	
Potencial *Perfecto*	aurais valu, aurais valu, aurait valu; aurions valu, auriez valu, auraient valu	
Pret. Perf. *Subjuntivo*	aie valu, aies valu, ait valu; ayons valu, ayez valu, aient valu	
Pret. Plus. *Subjuntivo*	eusse valu, eusses valu, eût valu; eussions valu, eussiez valu, eussent valu	
Imperativo	vaux, valons, valez	

Presente *Indicativo*	vends, vends, vend; vendons, vendez, vendent	*vender*
Pret. Imp. *Indicativo*	vendais, vendais, vendait; vendions, vendiez, vendaient	
Pret. Indef. *Indicativo*	vendis, vendis, vendit; vendîmes, vendîtes, vendirent	
Fut. Imp. *Indicativo*	vendrai, vendras, vendra; vendrons, vendrez, vendront	
Potencial *Simple*	vendrais, vendrais, vendrait; vendrions, vendriez, vendraient	
Presente *Subjuntivo*	vende, vendes, vende; vendions, vendiez, vendent	
Pret. Imp. *Subjuntivo*	vendisse, vendisses, vendît; vendissions, vendissiez, vendissent	
Pret. Perf. *Indicativo*	ai vendu, as vendu, a vendu; avons vendu, avez vendu, ont vendu	
Pret. Plus. *Indicativo*	avais vendu, avais vendu, avait vendu; avions vendu, aviez vendu, avaient vendu	
Pretérito *Anterior*	eus vendu, eus vendu, eut vendu; eûmes vendu, eûtes vendu, eurent vendu	
Fut. Perf. *Indicativo*	aurai vendu, auras vendu, aura vendu; aurons vendu, aurez vendu, auront vendu	
Potencial *Perfecto*	aurais vendu, aurais vendu, aurait vendu; aurions vendu, auriez vendu, auraient vendu	
Pret. Perf. *Subjuntivo*	aie vendu, aies vendu, ait vendu; ayons vendu, ayez vendu, aient vendu	
Pret. Plus. *Subjuntivo*	eusse vendu, eusses vendu, eût vendu; eussions vendu, eussiez vendu, eussent vendu	
Imperativo	vends, vendons, vendez	

Presente *Indicativo*	viens, viens, vient; venons, venez, viennent
Pret. Imp. *Indicativo*	venais, venais, venait; venions, veniez, venaient
Pret. Indef. *Indicativo*	vins, vins, vint; vînmes, vîntes, vinrent
Fut. Imp. *Indicativo*	viendrai, viendras, viendra; viendrons, viendrez, viendront
Potencial *Simple*	viendrais, viendrais, viendrait; viendrions, viendriez, viendraient
Presente *Subjuntivo*	vienne, viennes, vienne; venions, veniez, viennent
Pret. Imp. *Subjuntivo*	vinsse, vinsses, vînt; vinssions, vinssiez, vinssent
Pret. Perf. *Indicativo*	suis venu(e), es venu(e), est venu(e); sommes venu(e)s, êtes venu(e)(s), sont venu(e)s
Pret. Plus. *Indicativo*	étais venu(e), étais venu(e), était venu(e); étions venu(e)s, étiez venu(e)(s), étaient venu(e)s
Pretérito *Anterior*	fus venu(e), fus venu(e), fut venu(e); fûmes venu(e)s, fûtes venu(e)(s), furent venu(e)s
Fut. Perf. *Indicativo*	serai venu(e), seras venu(e), sera venu(e); serons venu(e)s, serez venu(e)(s), seront venu(e)s
Potencial *Perfecto*	serais venu(e), serais venu(e), serait venu(e); serions venu(e)s, seriez venu(e)(s), seraient venu(e)s
Pret. Perf. *Subjuntivo*	sois venu(e), sois venu(e), soit venu(e); soyons venu(e)s, soyez venu(e)(s), soient venu(e)s
Pret. Plus. *Subjuntivo*	fusse venu(e), fusses venu(e), fût venu(e); fussions venu(e)s, fussiez venu(e)(s), fussent venu(e)s
Imperativo	viens, venons, venez

venir

Presente	vêts, vêts, vêt;
Indicativo	vêtons, vêtez, vêtent

vestir

Pret. Imp.	vêtais, vêtais, vêtait;
Indicativo	vêtions, vêtiez, vêtaient
Pret. Indef.	vêtis, vêtis, vêtit;
Indicativo	vêtîmes, vêtîtes, vêtîrent
Fut. Imp.	vêtirai, vêtiras, vêtira;
Indicativo	vêtirons, vêtirez, vêtiront
Potencial	vêtirais, vêtirais, vêtirait;
Simple	vêtirions, vêtiriez, vêtiraient
Presente	vête, vêtes, vête;
Subjuntivo	vêtions, vêtiez, vêtent
Pret. Imp.	vêtisse, vêtisses, vêtît;
Subjuntivo	vêtissions, vêtissiez, vêtissent
Pret. Perf.	ai vêtu, as vêtu, a vêtu;
Indicativo	avons vêtu, avez vêtu, ont vêtu
Pret. Plus.	avais vêtu, avais vêtu, avait vêtu;
Indicativo	avions vêtu, aviez vêtu, avaient vêtu
Pretérito	eus vêtu, eus vêtu, eut vêtu;
Anterior	eûmes vêtu, eûtes vêtu, eurent vêtu
Fut. Perf.	aurai vêtu, auras vêtu, aura vêtu;
Indicativo	aurons vêtu, aurez vêtu, auront vêtu
Potencial	aurais vêtu, aurais vêtu, aurait vêtu;
Perfecto	aurions vêtu, auriez vêtu, auraient vêtu
Pret. Perf.	aie vêtu, aies vêtu, ait vêtu;
Subjuntivo	ayons vêtu, ayez vêtu, aient vêtu
Pret. Plus.	eusse vêtu, eusses vêtu, eût vêtu;
Subjuntivo	eussions vêtu, eussiez vêtu, eussent vêtu
Imperativo	vêts, vêtons, vêtez

vivir

Presente *Indicativo*	vis, vis, vit; vivons, vivez, vivent
Pret. Imp. *Indicativo*	vivais, vivais, vivait; vivions, viviez, vivaient
Pret. Indef. *Indicativo*	vécus, vécus, vécut; vécûmes, vécûtes, vécurent
Fut. Imp. *Indicativo*	vivrai, vivras, vivra; vivrons, vivrez, vivront
Potencial *Simple*	vivrais, vivrais, vivrait; vivrions, vivriez, vivraient
Presente *Subjuntivo*	vive, vives, vive; vivions, viviez, vivent
Pret. Imp. *Subjuntivo*	vécusse, vécusses, vécût; vécussions, vécussiez, vécussent
Pret. Perf. *Indicativo*	ai vécu, as vécu, a vécu; avons vécu, avez vécu, ont vécu
Pret. Plus. *Indicativo*	avais vécu, avais vécu, avait vécu; avions vécu, aviez vécu, avaient vécu
Pretérito *Anterior*	eus vécu, eus vécu, eut vécu; eûmes vécu, eûtes vécu, eurent vécu
Fut. Perf. *Indicativo*	aurai vécu, auras vécu, aura vécu; aurons vécu, aurez vécu, auront vécu
Potencial *Perfecto*	aurais vécu, aurais vécu, aurait vécu; aurions vécu, auriez vécu, auraient vécu
Pret. Perf. *Subjuntivo*	aie vécu, aies vécu, ait vécu; ayons vécu, ayez vécu, aient vécu
Pret. Plus. *Subjuntivo*	eusse vécu, eusses vécu, eût vécu; eussions vécu, eussiez vécu, eussent vécu
Imperativo	vis, vivons, vivez

Presente	vois, vois, voit;
Indicativo	voyons, voyez, voient

ver

Pret. Imp.	voyais, voyais, voyait;
Indicativo	voyions, voyiez, voyaient
Pret. Indef.	vis, vis, vit;
Indicativo	vîmes, vîtes, virent
Fut. Imp.	verrai, verras, verra;
Indicativo	verrons, verrez, verront
Potencial	verrais, verrais, verrait;
Simple	verrions, verriez, verraient
Presente	voie, voies, voie;
Subjuntivo	voyions, voyiez, voient
Pret. Imp.	visse, visses, vît;
Subjuntivo	vissions, vissiez, vissent
Pret. Perf.	ai vu, as vu, a vu;
Indicativo	avons vu, avez vu, ont vu
Pret. Plus.	avais vu, avais vu, avait vu;
Indicativo	avions vu, aviez vu, avaient vu
Pretérito	eus vu, eus vu, eut vu;
Anterior	eûmes vu, eûtes vu, eurent vu
Fut. Perf.	aurai vu, auras vu, aura vu;
Indicativo	aurons vu, aurez vu, auront vu
Potencial	aurais vu, aurais vu, aurait vu;
Perfecto	aurions vu, auriez vu, auraient vu
Pret. Perf.	aie vu, aies vu, ait vu;
Subjuntivo	ayons vu, ayez vu, aient vu
Pret. Plus.	eusse vu, eusses vu, eût vu;
Subjuntivo	eussions vu, eussiez vu, eussent vu
Imperativo	vois, voyons, voyez

Presente *Indicativo*	vole, voles, vole; volons, volez, volent
Pret. Imp. *Indicativo*	volais, volais, volait; volions, voliez, volaient
Pret. Indef. *Indicativo*	volai, volas, vola; volâmes, volâtes, volèrent
Fut. Imp. *Indicativo*	volerai, voleras, volera; volerons, volerez, voleront
Potencial *Simple*	volerais, volerais, volerait; volerions, ·voleriez, voleraient
Presente *Subjuntivo*	vole, voles, vole; volions, voliez, volent
Pret. Imp. *Subjuntivo*	volasse, volasses, volât; volassions, volassiez, volassent
Pret. Perf. *Indicativo*	ai volé, as volé, a volé; avons volé, avez volé, ont volé
Pret. Plus. *Indicativo*	avais volé, avais volé, avait volé; avions volé, aviez volé, avaient volé
Pretérito *Anterior*	eus volé, eus volé, eut volé; eûmes volé, eûtes volé, eurent volé
Fut. Perf. *Indicativo*	aurai volé, auras volé, aura volé; aurons volé, aurez volé, auront volé
Potencial *Perfecto*	aurais volé, aurais volé, aurait volé; aurions volé, auriez volé, auraient volé
Pret. Perf. *Subjuntivo*	aie volé, aies volé, ait volé; ayons volé, ayez volé, aient volé
Pret. Plus. *Subjuntivo*	eusse volé, eusses volé, eût volé; eussions volé, eussiez volé, eussent volé
Imperativo	vole, volons, volez

volar

Presente *Indicativo*	veux, veux, veut; voulons, voulez, veulent	*querer*
Pret. Imp. *Indicativo*	voulais, voulais, voulait; voulions, vouliez, voulaient	
Pret. Indef. *Indicativo*	voulus, voulus, voulut; voulûmes, voulûtes, voulurent	
Fut. Imp. *Indicativo*	voudrai, voudras, voudra; voudrons, voudrez, voudront	
Potencial *Simple*	voudrais, voudrais, voudrait; voudrions, voudriez, voudraient	
Presente *Subjuntivo*	veuille, veuilles, veuille; voulions, vouliez, veuillent	
Pret. Imp. *Subjuntivo*	voulusse, voulusses, voulût; voulussions, voulussiez, voulussent	
Pret. Perf. *Indicativo*	ai voulu, as voulu, a voulu; avons voulu, avez voulu, ont voulu	
Pret. Plus. *Indicativo*	avais voulu, avais voulu, avait voulu; avions voulu, aviez voulu, avaient voulu	
Pretérito *Anterior*	eus voulu, eus voulu, eut voulu; eûmes voulu, eûtes voulu, eurent voulu	
Fut. Perf. *Indicativo*	aurai voulu, auras voulu, aura voulu; aurons voulu, aurez voulu, auront voulu	
Potencial *Perfecto*	aurais voulu, aurais voulu, aurait voulu; aurions voulu, auriez voulu, auraient voulu	
Pret. Perf. *Subjuntivo*	aie voulu, aies voulu, ait voulu; ayons voulu, ayez voulu, aient voulu	
Pret. Plus. *Subjuntivo*	eusse voulu, eusses voulu, eût voulu; eussions voulu, eussiez voulu, eussent voulu	
Imperativo	veuille, veuillons, veuillez	

Presente *Indicativo*	voyage, voyages, voyage; voyageons, voyagez, voyagent

viajar

Pret. Imp. *Indicativo*	voyageais, voyageais, voyageait; voyagions, voyagiez, voyageaient
Pret. Indef. *Indicativo*	voyageai, voyageas, voyagea; voyageâmes, voyageâtes, voyagèrent
Fut. Imp. *Indicativo*	voyagerai, voyageras, voyagera; voyagerons, voyagerez, voyageront
Potencial *Simple*	voyagerais, voyagerais, voyagerait; voyagerions, voyageriez, voyageraient
Presente *Subjuntivo*	voyage, voyages, voyage; voyagions, voyagiez, voyagent
Pret. Imp. *Subjuntivo*	voyageasse, voyageasses, voyageât; voyageassions, voyageassiez, voyageassent
Pret. Perf. *Indicativo*	ai voyagé, as voyagé, a voyagé; avons voyagé, avez voyagé, ont voyagé
Pret. Plus. *Indicativo*	avais voyagé, avais voyagé, avait voyagé; avions voyagé, aviez voyagé, avaient voyagé
Pretérito *Anterior*	eus voyagé, eus voyagé, eut voyagé; eûmes voyagé, eûtes voyagé, eurent voyagé
Fut. Perf. *Indicativo*	aurai voyagé, auras voyagé, aura voyagé; aurons voyagé, aurez voyagé, auront voyagé
Potencial *Perfecto*	aurais voyagé, aurais voyagé, aurait voyagé; aurions voyagé, auriez voyagé, auraient voyagé
Pret. Perf. *Subjuntivo*	aie voyagé, aies voyagé, ait voyagé; ayons voyagé, ayez voyagé, aient voyagé
Pret. Plus. *Subjuntivo*	eusse voyagé, eusses voyagé, eût voyagé; eussions voyagé, eussiez voyagé, eussent voyagé
Imperativo	voyage, voyageons, voyagez

Indice de verbos españoles que se encuentran en este libro con los equivalentes franceses

A

abandonar abandonner, quitter
abatir abattre
aborrecer haïr
abrasar brûler
abrir ouvrir
abstenerse s'abstenir
aburrir ennuyer
acabar finir
acariciar chérir
aceptar accepter
acoger accueillir
acompañar accompagner
acostarse se coucher
admitir admettre
adquirir acquérir
agradar plaire
aguardar attendre
alcanzar atteindre
almorzar déjeuner
amar aimer, chérir
aparecer apparaître, paraître
apercibir apercevoir
apreciar chérir
aprender apprendre
asaltar assaillir
asistir aider
atreverse a oser
ayudar aider

B

bailar danser
bajar descendre
bastar suffire
batir battre
batirse se battre
beber boire
bullir bouillir
buscar chercher

C

caer tomber
callarse se taire
cambiar changer
cantar chanter
castigar punir
causar causer
ceder céder
cenar dîner
cepillar se brosser
cocer al fuego cuire
coger cueillir
colgar pendre
colocar mettre
combatir se battre
comenzar commencer
comer manger
comprar acheter
comprender comprendre, entendre
concluir conclure
conducir conduire, mener
conocer connaître
conseguir obtenir
construir bâtir, construire
contar compter, raconter
contestar répondre
corregir corriger
correr courir
cortar (árboles) abattre
coser coudre
costar coûter
crecer croître
creer croire
cubrir couvrir
curar guérir

CH

charlar causer

D

dañar nuire
dañarse se blesser
dar donner
dar en tierra con abattre
dar la bienvenida a accueillir
darse prisa se dépêcher
deber devoir
decir dire
dejar abandonner, laisser, quitter
derribar abattre
descender descendre
desear désirer
despertarse se réveiller
detenerse s'arrêter
devolver rendre
divertirse s'amuser
dormir dormir

E

echar jeter
elegir choisir
empezar commencer
emplear employer
encontrar trouver
enfadarse se fâcher
enrojecer rougir
ensayar essayer
ensayar (un papel de teatro)
  répéter
enseñar enseigner
ensoñar songer
ensuciar salir
entender comprendre, entendre
entrar entrer
enviar envoyer
escapar fuir
escoger choisir
esconder cacher
escribir écrire
escuchar écouter
esperar attendre, espérer
estar être
estar a punto de faillir, être sur le
  point de
estimar chérir
estudiar étudier
existir être

F

faltar faillir
fastidiar ennuyer

G

ganar gagner
golpear battre
guardar silencio se taire
guisar cuire
gustar de goûter

H

haber avoir
haber que falloir
habitar demeurer, habiter
hablar parler
hacer faire
hacer falta falloir
hacerse devenir
hacerse daño se blesser
hallar trouver
huir fuir
humillar abattre

I

interrogar interroger
interrumpir interrompre
ir aller
irse s'en aller

J

jugar jouer
juntar joindre
juzgar juger

L

lanzar jeter
lavarse se laver
leer lire
levantarse se lever
limpiar essuyer, nettoyer

limpiarse (los dientes) se brosser (les dents)
lograr réussir

LL

llamar appeler
llamarse s'appeler
llegar arriver
llegar a ser devenir
llevar mener, porter
llover pleuvoir

M

mandar commander, envoyer
marcharse s'en aller, partir
menearse bouger
mentir mentir
merendar goûter
meter mettre
mirar regarder
morar demeurer, habiter
morder mordre
morir mourir
mostrarse paraître
mover mouvoir
moverse bouger

N

nacer naître
nadar nager
narrar raconter
nevar neiger
notar remarquer

O

obedecer obéir
obligar obliger
observar apercevoir, remarquer
obtener obtenir
ocultar cacher
odiar haïr
ofrecer offrir
oir entendre
oler sentir

olfatear sentir
osar oser

P

pagar payer
paladear goûter
parecer paraître, apparaître
partir partir
pasearse se promener
pedir demander
pedir a préstamo emprunter
pegar battre
pensar penser, songer
perder perdre
perecer périr
perjudicar nuire
permitir permettre
pertenecer appartenir
pintar peindre
placer plaire
poder pouvoir
poner mettre
poner rojo rougir
ponerse (el sol) se coucher
preferir préférer
preguntar interroger
prestar prêter
prever prévoir
principiar commencer
probar essayer
prometer promettre
pronunciar prononcer
proveer pourvoir

Q

quebrar casser, rompre
quedar rester
quemar brûler
querer aimer, chérir, vouloir
quitarse s'en aller

R

recibir recevoir, accueillir
recoger cueillir
reemplazar remplacer
regresar revenir

reir rire
relatar raconter
rellenar remplir
repetir répéter
residir demeurer
resolver résoudre
responder répondre
restar rester
revolver retourner
rogar demander
romper casser, rompre

S

saber savoir
salir sortir, partir
saltar sauter
seguir suivre
sentarse s'asseoir
sentir sentir
ser être
ser necesario falloir
ser preciso falloir
servir servir
soñar songer
subir monter

T

tapar couvrir
temer craindre
tener avoir, tenir
tener éxito réussir

tener gusto por aimer
tener que falloir
terminar finir, conclure
tocar (un instrumento musical)
  jouer
tomar prendre
tomar prestado emprunter
trabajar travailler
traducir traduire
traer apporter

U

unir joindre
usar employer

V

valer valoir
vencer vaincre
vender vendre
venir venir
venir otra vez revenir
ver voir
vestir vêtir
vestirse s'habiller
viajar voyager
vivir vivre
volar voler
volver retourner, revenir
volver a entrar rentrer
volver a llenar remplir

A veces un estudiante encuentra en sus lecturas algunas formas de verbos franceses que son difíciles de identificar. Ofrecemos la lista siguiente de formas que figuran en este diccionario para facilitar el trabajo del estudiante. Después de encontrar en esta lista la forma de un verbo en particular, el estudiante podrá identificarla, examinando la página en donde se conjuga el verbo en cuestión. Por ejemplo, si el estudiante busca la forma *mis* en esta lista, verá que el infinitivo es *mettre*. Si el estudiante examina la página en donde se dan las formas de *mettre,* verá que *mis* es el participio de *mettre*. Si busca más lejos en la misma página, verá que *mis* es también la primera y la segunda persona del singular del Pretérito Indefinido del Indicativo. Es conveniente que el estudiante consulte, de vez en cuando, el **Paradigma de un verbo español conjugado en todos sus tiempos y personas** en la pág. viii para ver como se expresan los mismos tiempos en español. Véase, también, en la pág. ix.

A

a	avoir
acquièrent	acquérir
acquiers	acquérir
acquirent	acquérir
acquis	acquérir
acquissions	acquérir
acquit	acquérir
acquît	acquérir
admets	admettre
admîmes	admettre
admirent	admettre
admis	admettre
admissions	admettre
admit	admettre
admît	admettre
ai	avoir
aie	avoir
aient	avoir
aies	avoir
aille	aller
aillent	aller
ailles	aller
ait	avoir
allasse	aller
allassent	aller
allasses	aller
allassiez	aller
allassions	aller
allât	aller
aperçoivent	apercevoir
aperçu	apercevoir

aperçurent apercevoir
aperçussions apercevoir
appartenu appartenir
appartiens appartenir
appartînmes appartenir
apparu apparaître
apprenne apprendre
apprirent apprendre
appris apprendre
as avoir
asseyant asseoir
asseye asseoir
asseyent asseoir
asseyions asseoir
assieds asseoir
assiérai asseoir
assiérez asseoir
assiérons asseoir
assîmes asseoir
assirent asseoir
assis asseoir
assissent asseoir
assissions asseoir
assît asseoir
assîtes asseoir
atteignant atteindre
atteignons atteindre
atteint atteindre
aura avoir
aurai avoir
auraient avoir
aurais avoir
aurait avoir
auras avoir
aurez avoir
auriez avoir
aurions avoir
aurons avoir
auront avoir
avez avoir
avons avoir

ayant avoir
ayez avoir
ayons avoir

B

bats battre
battîmes battre
battirent battre
battissions battre
bois boire
boivent boire
bous bouillir
bout bouillir
bu boire
bûmes boire
burent boire
bus boire
bussent boire
but boire
bût boire
bûtes boire
buvaient boire
buvant boire
buvez boire
buvions boire
buvons boire

C

comprirent comprendre
compris comprendre
comprissent comprendre
comprît comprendre
courraient courir
cours courir
coururent courir
cousirent coudre
cousis coudre

cousisse coudre
cousu coudre
couvert couvrir
craignant craindre
craignisse craindre
craignissent craindre
craignisses craindre
craignissiez craindre
craignissions craindre
craignît craindre
craint craindre
croie croire
croies croire
crois croire
croîs croître
croissaient croître
croissant croître
croisse croître
croissent croître
croisses croître
croissions croître
croit croire
croît croître
croyais croire
croyant croire
croyiez croire
croyons croire
cru croire
crû croître
crûmes croire, croître
crurent croire
crûrent croître
crus croire
crûs croître
crusse croire
crûsse croître
crussent croire
crûssent croître
crusses croire
crûsses croître
crussiez croire

crûssiez croître
crussions croire
crûssions croître
crut croire
crût croire, croître
crûtes croire, croître
cuisant cuire
cuit cuire

D

devant devoir
devenu devenir
deviendrai devenir
deviendrais devenir
deviennent devenir
deviens devenir
devînmes devenir
devinrent devenir
devinssions devenir
devînt devenir
devrai devoir
dîmes dire
dirai dire
dirent dire
dis dire
disaient dire
disant dire
dise dire
disent dire
dises dire
disiez dire
disions dire
disons dire
disse dire
dissent dire
dissiez dire
dissions dire
dit dire
dît dire

dites	dire	étaient	être
dois	devoir	étais	être
doit	devoir	était	être
doive	devoir	étant	être
doivent	devoir	été	être
dors	dormir	êtes	être
dort	dormir	étiez	être
dû	devoir	étions	être
dûmes	devoir	eu	avoir
durent	devoir	eûmes	avoir
dus	devoir	eurent	avoir
dussent	devoir	eus	avoir
dut	devoir	eusse	avoir
dût	devoir	eussent	avoir
		eusses	avoir
		eussiez	avoir
E		eussions	avoir
		eut	avoir
écris	écrire	eût	avoir
écrit	écrire	eûtes	avoir
écrivant	écrire		
écrive	écrire		
écrivis	écrire		
écrivissent	écrire		
écrivit	écrire	**F**	
écrivît	écrire		
emploie	employer	faille	faillir, falloir
ennuie	ennuyer	fais	faire
enverra	envoyer	faisant	faire
enverrai	envoyer	faisons	faire
enverraient	envoyer	fait	faire
enverras	envoyer	faites	faire
enverrez	envoyer	fallût	falloir
enverrions	envoyer	fasse	faire
enverrons	envoyer	fassent	faire
enverront	envoyer	fasses	faire
envoie	envoyer	fassiez	faire
envoient	envoyer	fassions	faire
es	être	faudra	faillir, falloir
essuie	essuyer	faudrai	faillir
est	être	faudraient	faillir
		faudrais	faillir
		faudrait	faillir, falloir

210

faudras	faillir
faudrez	faillir
faudriez	faillir
faudrions	faillir
faudrons	faillir
faudront	faillir
faut	faillir, falloir
faux	faillir
fera	faire
ferai	faire
feraient	faire
ferais	faire
ferait	faire
feras	faire
ferez	faire
feriez	faire
ferions	faire
ferons	faire
feront	faire
fîmes	faire
finissant	finir
firent	faire
fis	faire
fisse	faire
fissent	faire
fisses	faire
fissiez	faire
fissions	faire
fit	faire
fît	faire
fîtes	faire
font	faire
fuisse	fuir
fuissent	fuir
fuissions	fuir
fûmes	être
furent	être
fus	être
fussent	être
fusses	être
fussiez	être

fussions	être
fut	être
fût	être
fûtes	être
fuyais	fuir
fuyant	fuir
fuyions	fuir
fuyons	fuir

G

guérissant	guérir

H

hais	haïr
haïssant	haïr
haïssent	haïr
haïssez	haïr
haïssons	haïr
hait	haïr

I

ira	aller
irai	aller
iraient	aller
irais	aller
irait	aller
iras	aller
irez	aller
iriez	aller
irions	aller
irons	aller
iront	aller

J

jetassent	jeter
jette	jeter

211

jettent jeter
joignant joindre
joignissent joindre
joint joindre
jouasse jouer

L

lavassent laver
levassent lever
lisant lire
lise lire
lisent lire
lisez lire
lisions lire
lisons lire
lit lire
lu lire
lûmes lire
lurent lire
lus lire
lussent lire
lussiez lire
lussions lire
lut lire
lût lire
lûtes lire

M

mens mentir
met mettre
mets mettre
meure mourir
meurent mourir
meures mourir
meurs mourir
meurt mourir
meus mouvoir
meut mouvoir
meuvent mouvoir

meuves mouvoir
mîmes mettre
mirent mettre
mis mettre
misse mettre
missent mettre
misses mettre
missiez mettre
missions mettre
mit mettre
mît mettre
mîtes mettre
mords mordre
mort mourir
mourra mourir
mourrai mourir
mourraient mourir
mourrais mourir
mourras mourir
mourrez mourir
mourriez mourir
mourrions mourir
mourrons mourir
mourront mourir
mû mouvoir
mûmes mouvoir
murent mouvoir
mus mouvoir
mussent mouvoir
mussiez mouvoir
mussions mouvoir
mut mouvoir
mût mouvoir
mûtes mouvoir

N

naissant naître
naissent naître
naquîmes naître
naquirent naître

naquisse naître
naquit naître
naquît naître
naquîtes naître
né naître
nettoie nettoyer
nettoiera nettoyer
nettoierai nettoyer
nettoieraient nettoyer
nettoierais nettoyer
nettoierait nettoyer
nettoieras nettoyer
nettoierez nettoyer
nettoieriez nettoyer
nettoierions nettoyer
nettoierons nettoyer
nettoieront nettoyer
nettoies nettoyer
nuis nuire
nuisaient nuire
nuisais nuire
nuisait nuire
nuise nuire
nuisent nuire
nuises nuire
nuisez nuire
nuisîmes nuire
nuisions nuire
nuisirent nuire
nuisis nuire
nuisisse nuire
nuisissent nuire
nuisissions nuire
nuisîtes nuire
nuisons nuire
nuit nuire

O

obtenu obtenir
obtiendrai obtenir

obtiendraient obtenir
obtiendrais obtenir
obtiendras obtenir
obtiendrez obtenir
obtiendriez obtenir
obtiendrions obtenir
obtiendrons obtenir
obtiendront obtenir
obtienne obtenir
obtiennes obtenir
obtiens obtenir
obtient obtenir
obtînmes obtenir
obtinrent obtenir
obtins obtenir
obtinsse obtenir
obtinssent obtenir
obtinsses obtenir
obtinssiez obtenir
obtinssions obtenir
obtint obtenir
offert offrir
ont avoir
osassent oser
osât oser
ouvert ouvrir

P

paraissaient paraître
paraissant paraître
paraisse paraître
paraissent paraître
paraisses paraître
paraît paraître
pars partir
paru paraître
parûmes paraître
parurent paraître

213

parus paraître
parusse paraître
parussent paraître
parussiez paraître
parût paraître
peignaient peindre
peignais peindre
peignait peindre
peigne peindre
peignent peindre
peignions peindre
peignîmes peindre
peignirent peindre
peignis peindre
peignisse peindre
peignissent peindre
peignissiez peindre
peignît peindre
peins peindre
peint peindre
pendîmes pendre
pendirent pendre
pendisse pendre
pendissent pendre
pendisses pendre
pendissiez pendre
pendissions pendre
pendit pendre
pendît pendre
pendîtes pendre
perdis perdre
perdisse perdre
perdissent perdre
perdisses perdre
perdissiez perdre
perdissions perdre
perdit perdre
perdît perdre
perdu perdre
pérîmes périr
péris périr

périssaient périr
périssais périr
périssait périr
périssant périr
périsse périr
périssent périr
périsses périr
périssiez périr
permîmes permettre
permirent permettre
permis permettre
permisse permettre
permissent permettre
permisses permettre
permissiez permettre
permissions permettre
permit permettre
permît permettre
permîtes permettre
peut pouvoir
peuvent pouvoir
peux pouvoir
plaisant plaire
pleut pleuvoir
plu plaire, pleuvoir
plurent plaire
plussent plaire
plûmes plaire
plurent plaire
plusse plaire
plussent plaire
plusses plaire
plussiez plaire
plussions plaire
plut plaire, pleuvoir
plût plaire, pleuvoir
plûtes plaire
pourra pouvoir
pourrai pouvoir
pourraient pouvoir
pourrais pouvoir

pourrait	pouvoir	promît	promettre
pourrez	pouvoir	promîtes	promettre
pourriez	pouvoir	pu	pouvoir
pourrions	pouvoir	puis	pouvoir
pourrons	pouvoir	puisse	pouvoir
pourront	pouvoir	puissent	pouvoir
pourvoyant	pourvoir	puissiez	pouvoir
pourvu	pourvoir	puissions	pouvoir
prenant	prendre	pûmes	pouvoir
preniez	prendre	punissant	punir
prenions	prendre	purent	pouvoir
prenne	prendre	pus	pouvoir
prennent	prendre	pusse	pouvoir
prennes	prendre	pussent	pouvoir
prévîmes	prévoir	put	pouvoir
prévirent	prévoir	pût	pouvoir
prévis	prévoir	pûtes	pouvoir
prévisse	prévoir		
prévisses	prévoir		
prévissiez	prévoir		
prévit	prévoir		**R**
prévîtes	prévoir	reçois	recevoir
prévoyant	prévoir	reçoit	recevoir
prévu	prévoir	reçoivent	recevoir
prîmes	prendre	reçu	recevoir
prirent	prendre	reçûmes	recevoir
pris	prendre	reçurent	recevoir
prisse	prendre	reçusse	recevoir
prisses	prendre	reçussent	recevoir
prissiez	prendre	reçusses	recevoir
prissions	prendre	reçussiez	recevoir
prit	prendre	reçussions	recevoir
prît	prendre	reçut	recevoir
prîtes	prendre	reçût	recevoir
promîmes	promettre	reçûtes	recevoir
promis	promettre	rendu	rendre
promisse	promettre	résolu	résoudre
promissent	promettre	résolûmes	résoudre
promissiez	promettre	résolurent	résoudre
promissions	promettre	résolus	résoudre
promit	promettre	résolusse	résoudre

résolussent	résoudre	ri	rire
résolusses	résoudre	rie	rire
résolussiez	résoudre	riiez	rire
résolussions	résoudre	riions	rire
résolut	résoudre	rîmes	rire
résolût	résoudre	ris	rire
résolûtes	résoudre	risse	rire
résolvaient	résoudre	rissent	rire
résolvais	résoudre	risses	rire
résolvant	résoudre	rissiez	rire
résolve	résoudre	rissions	rire
résolvent	résoudre	rit	rire
résolves	résoudre	rît	rire
résolvez	résoudre	rîtes	rire
résolviez	résoudre		
résolvions	résoudre		
reviendra	revenir		
reviendrai	revenir	**S**	
reviendraient	revenir		
reviendrais	revenir	sachant	savoir
reviendrait	revenir	sache	savoir
reviendrez	revenir	sachent	savoir
reviendriez	revenir	saches	savoir
reviendrions	revenir	sachiez	savoir
reviendrons	revenir	sachions	savoir
reviendront	revenir	sais	savoir
revienne	revenir	sait	savoir
reviennes	revenir	salissant	salir
reviens	revenir	saura	savoir
revient	revenir	saurai	savoir
revînmes	revenir	sauraient	savoir
revinrent	revenir	saurais	savoir
revins	revenir	saurait	savoir
revinsse	revenir	sauras	savoir
revinssent	revenir	saurez	savoir
revinsses	revenir	sauriez	savoir
revinssiez	revenir	saurions	savoir
revinssions	revenir	saurons	savoir
revint	revenir	sauront	savoir
revînt	revenir	sens · sentir	
revîntes	revenir	sera	être
		serai	être

216

seraient être
serais être
serait être
seras être
serez être
seriez être
serions être
serons être
seront être
sers servir
soient être
sois être
soit être
sommes être
sont être
sors sortir
soyez être
soyons être
su savoir
suis être, suivre
suit suivre
sûmes savoir
surent savoir
susse savoir
sussent savoir
susses savoir
sussiez savoir
sussions savoir
sut savoir
sût savoir
sûtes savoir

T

taisant taire
tenu tenir
tiendraient tenir
tienne tenir
tiennent tenir
tiennes tenir

tiens tenir
tient tenir
tînmes tenir
tinrent tenir
tins tenir
tinsse tenir
tinssent tenir
tinsses tenir
tinssiez tenir
tinssions tenir
tint tenir
tînt tenir
tu taire
tûmes taire
turent taire
tus taire
tusse taire
tussent taire
tusses taire
tussiez taire
tussions taire
tut taire
tût taire
tûtes taire

V

va aller
vaille valoir
vainquaient vaincre
vainquais vaincre
vainquait vaincre
vainquant vaincre
vainque vaincre
vainquent vaincre
vainques vaincre
vainquez vaincre
vainquiez vaincre
vainquîmes vaincre
vainquions vaincre

vainquirent	vaincre	verront	voir
vainquis	vaincre	veuille	vouloir
vainquisse	vaincre	veuilles	vouloir
vainquissent	vaincre	veuillez	vouloir
vainquisses	vaincre	veuillons	vouloir
vainquissiez	vaincre	veulent	vouloir
vainquissions	vaincre	veux	vouloir
vainquit	vaincre	viendra	venir
vainquît	vaincre	viendrai	venir
vainquîtes	vaincre	viendraient	venir
vainquons	vaincre	viendrais	venir
vais	aller	viendrait	venir
valurent	valoir	viendras	venir
valusse	valoir	viendriez	venir
vas	aller	viendrions	venir
vaudrai	valoir	viendrons	venir
vaut	valoir	vienne	venir
vaux	valoir	viennent	venir
vécu	vivre	viens	venir
vécûmes	vivre	vient	venir
vécurent	vivre	vîmes	voir
vécussent	vivre	vînmes	venir
vécussions	vivre	vinrent	venir
vécut	vivre	vins	venir
vécût	vivre	vinsse	venir
vécûtes	vivre	vinssent	venir
vendisse	vendre	vinsses	venir
vendissent	vendre	vinssiez	venir
vendissiez	vendre	vinssions	venir
vendissions	vendre	vint	venir
venu	venir	vînt	venir
verra	voir	vîntes	venir
verrai	voir	virent	voir
verraient	voir	vis	vivre, voir
verrais	voir	visse	voir
verrait	voir	vissent	voir
verras	voir	vissiez	voir
verrez	voir	vissions	voir
verriez	voir	vit	vivre, voir
verrions	voir	vît	voir
verrons	voir	vîtes	voir

voie voir
voient voir
voies voir
vont aller
voudra vouloir
voudraient vouloir
voudrais vouloir
voudrait vouloir
voudras vouloir
voudrez vouloir
voudriez vouloir
voudrions vouloir
voudrons vouloir
voudront vouloir
voulûmes vouloir

voulurent vouloir
voulusse vouloir
voulussent vouloir
voulussiez vouloir
voulussions vouloir
voulût vouloir
voyaient voir
voyais voir
voyait voir
voyant voir
voyez voir
voyiez voir
voyions voir
voyons voir
vu voir